SOBRE O AMOR

Livros de Bukowski publicados pela **L&PM** EDITORES:

Ao sul de lugar nenhum: histórias da vida subterrânea
O amor é um cão dos diabos
Bukowski: 3 em 1 (Mulheres; O capitão saiu para o almoço e os marinheiros tomaram conta do navio; Cartas na rua)
O capitão saiu para o almoço e os marinheiros tomaram conta do navio (c/ ilustrações de Robert Crumb)
Cartas na rua
Crônica de um amor louco
Delírios cotidianos (c/ ilustrações de Matthias Schultheiss)
Escrever para não enlouquecer
Fabulário geral do delírio cotidiano
Factótum
Hollywood
Miscelânea septuagenária: contos e poemas
Misto-quente
A mulher mais linda da cidade e outras histórias
Mulheres
Notas de um velho safado
Numa fria
Pedaços de um caderno manchado de vinho
As pessoas parecem flores finalmente
Pulp
Queimando na água, afogando-se na chama
Sobre bêbados e bebidas
Sobre gatos
Sobre o amor
Tempestade para os vivos e para os mortos
Textos autobiográficos (Editado por John Martin)
Você fica tão sozinho às vezes que até faz sentido

BUKOWSKI

SOBRE O AMOR

Editado por Abel Debritto
Tradução de Rodrigo Breunig

Texto de acordo com a nova ortografia.
Título original: *On Love*
1ª edição: maio de 2017
Esta reimpressão: verão de 2021
Tradução: Rodrigo Breunig
Capa: Ivan Pinheiro Machado. *Ilustração*: iStock
Preparação: Marianne Scholze
Revisão: Simone Diefenbach

B949s

CIP-Brasil. Catalogação na publicação
Sindicato Nacional dos Editores de Livros, RJ

Bukowski, Charles, 1920-1994
    Sobre o amor / Charles Bukowski; tradução Rodrigo Breunig; editado por Abel Debritto. – Porto Alegre, RS: L&PM, 2021.
    224 p. ; 21 cm.

    Tradução de: *On Love*
    ISBN: 978-85-254-3473-9

    1. Poesia americana. I. Breunig, Rodrigo. II. Debritto, Abel. III. Título.

17-38877
                                    CDD: 811
                                    CDU: 821.111(73)-1

Foto da página 39 é uma cortesia de Marina Bukowski. As outras fotos são cortesia de Linda Lee Bukowski.
On Love Copyright © 2016 by Linda Lee Bukowski. All rights reserved.

Todos os direitos desta edição reservados a L&PM Editores
Rua Comendador Coruja, 314, loja 9 – Floresta – 90.220-180
Porto Alegre – RS – Brasil / Fone: 51.3225.5777

Pedidos & Depto. comercial: vendas@lpm.com.br
Fale conosco: info@lpm.com.br
www.lpm.com.br

Impresso no Brasil
Verão de 2021

SOBRE O AMOR

minha

Ela jaz ali embolada.
Posso sentir a grande montanha vazia
de sua cabeça
mas ela está viva. Boceja e
coça o nariz e
puxa para si as cobertas.
Logo lhe darei o beijo de boa-noite
e nós vamos dormir.
E longínqua é a Escócia
e embaixo da terra
correm os roedores.
Ouço motores na noite
e pelo céu rodopia uma
branca mão:
boa noite, querida, boa noite.

escala

Fazendo amor sob o sol, sob o sol matinal
num quarto de hotel
acima do beco
onde homens pobres catam garrafas;
fazendo amor sob o sol
fazendo amor junto a um tapete mais vermelho que nosso
  sangue,
fazendo amor enquanto meninos vendem manchetes
e Cadillacs,
fazendo amor junto a uma foto de Paris
e um maço aberto de Chesterfields,
fazendo amor enquanto outros homens – pobres
coitados –
trabalham.

Daquele momento – a este...
podem ser anos do jeito como são medidos,
mas é só uma frase atrás na minha mente –
são inúmeros os dias
nos quais a vida para e estaciona e fica
e espera como um trem nos trilhos.
Eu passo pelo hotel às 8
e às 5; vejo gatos nos becos
e garrafas e vagabundos,
e olho a janela no alto e penso:
não sei mais onde você está,
e sigo caminhando e me pergunto para onde
a vida vai
quando para.

o dia em que joguei pela janela uma grana preta

e, eu disse, você pode pegar seus ricos tios e tias
e avós e pais
e todo aquele petróleo escroto deles
e seus sete lagos
e seus selvagens perus
e búfalos
e o estado inteiro do Texas,
quer dizer, seus fuzilamentos de corvos
e seus calçadões de sábado à noite,
e sua biblioteca de meia-tigela
e seus vereadores corruptos
e seus artistas veadinhos –
você pode pegar tudo isso
e o seu jornal semanal
e os seus famosos tornados
e as suas enchentes imundas
e todos os seus gatos uivantes
e a sua assinatura da *Time*,
e enfiar lá, bebê,
enfiar lá.

posso empunhar de novo a picareta e o machado (acho)
e posso descolar
25 pratas por uma luta de 4 assaltos (talvez);
claro, estou com 38
mas um pouco de tintura pode tirar o grisalho
do meu cabelo;
e ainda consigo escrever poemas (às vezes),

não se esqueça *disso*, e mesmo que
não rendam nada,
é melhor do que esperar por mortes e petróleo,
e atirar em perus selvagens,
e esperar que o mundo
comece.

tá bom, vagabundo, ela disse,
cai fora.

o quê?, eu disse

cai fora. você teve o seu último
acesso de fúria.
cansei dos seus malditos acessos de fúria:
você está sempre agindo como um
personagem
de uma peça de O'Neill.

mas eu sou diferente, bebê,
não consigo
evitar.

você é diferente, tá bom!
meu Deus, quanta diferença!
não bata
a porta
quando sair.

mas, bebê, eu *amo* o seu
dinheiro!

você nunca me disse
que me ama!

o que você quer
um mentiroso ou um
amante?

você não é nenhum dos dois! fora, vagabundo,
fora!

...mas bebê!

volte pro O'Neill!

fui até a porta,
fechei-a sem barulho e fui embora,
pensando: tudo que elas querem
é um índio de madeira
que diga sim e não
e fique parado acima do fogo e

não infernize demais;
mas você já está ficando
velho, garoto;
da próxima vez não abra
tanto
o jogo.

eu provo as cinzas da sua morte

as florações agitam
água súbita
por minha manga,
água súbita
fresca e limpa
como neve –
enquanto as espadas
de caules afiados
avançam
contra seu peito
e as doces selvagens
rochas
saltam por cima
e
nos prendem.

o amor é uma folha de papel rasgada em pedaços

toda a cerveja estava envenenada e o cap. soçobrou
e o imediato e o cozinheiro
e não tínhamos ninguém pra manejar as velas
e o noroeste dilacerou os panos como unhas
e nós arfávamos que era uma loucura
o casco se rasgando nas laterais
e o tempo todo no canto
um merda qualquer comia uma cadela bêbada (minha esposa)
e socava tranquilo
como se nada estivesse acontecendo
e o gato não parava de olhar para mim
e de rastejar na despensa
em meio aos pratos estrepitosos
com flores e videiras pintadas neles
até que não aguentei mais
e peguei a coisa
e a lancei
pela
borda.

para a puta que levou meus poemas

alguns dizem que deveríamos evitar remorsos particulares no
poema,
manter a abstração, e há certa razão nisso,
mas jezus:
lá se foram 12 poemas e eu nunca uso papel-carbono e você
está com
minhas
pinturas também, minhas melhores; é sufocante:
você está tentando me triturar como todos os outros?
por que não leva meu dinheiro? é o que costumam tirar
das calças bêbadas e adormecidas passando mal na esquina.

da próxima vez leve meu braço esquerdo ou uma nota de
cinquenta
mas não meus poemas:
não sou Shakespeare
mas um dia simplesmente
não haverá mais nenhum, abstrato ou seja o que for;
sempre haverá dinheiro e putas e bêbados
até a última bomba,
mas como Deus disse,
cruzando as pernas:
percebo que fiz poetas de sobra
mas não muita
poesia.

sapatos

sapatos no armário como lírios de Páscoa,
meus sapatos sozinhos neste momento,
e outros sapatos com outros sapatos
como cães andando por avenidas,
e o fumo por si só não basta
e eu recebi uma carta de uma mulher num hospital,
amor, ela diz, amor,
mais poemas,
mas não escrevo,
não me entendo,
ela me manda fotografias do hospital
tiradas do ar,
mas me lembro dela em outras noites,
não morrendo,
sapatos com saltos como adagas
parados ao lado dos meus,
como essas noites fortes
podem mentir pra caramba,
como essas noites ficam quietas afinal
meus sapatos no armário
sobrevoados por casacões e camisas desengonçadas,
e eu olho para o buraco deixado pela porta
e as paredes, e não
escrevo.

algo pra valer, uma boa mulher

ficam sempre escrevendo sobre os touros, os toureiros,
aqueles que nunca os viram,
e enquanto vou rompendo as teias das aranhas para pegar meu vinho
o aham dos bombardeiros, maldito bam rompendo a calmaria,
e preciso escrever uma carta pro meu padre sobre certa puta da rua 3
que fica me chamando às 3 da manhã;
velhas escadas acima, bunda cheia de farpas,
pensando em poetas de livro de bolso e no padre,
e domino a máquina de escrever como uma máquina de lavar,
e veja veja os touros ainda estão morrendo
e ainda os cevam e os ceifam
como trigo nos campos,
e o sol está preto como tinta, isto é tinta preta,
e a minha esposa fala Brock, pelo amor de Deus,
a máquina de escrever a noite toda,
como vou conseguir dormir? e eu me enfio na cama e
beijo seu cabelo desculpa desculpa desculpa
às vezes eu fico empolgado não sei por quê
amigo meu disse que ia escrever sobre
Manolete...
quem é esse? ninguém, criança, alguém morto
como Chopin ou nosso velho carteiro ou um cão,
dorme, dorme,
e eu a beijo e esfrego sua cabeça,
uma boa mulher,
e logo ela pega no sono e eu espero
a manhã.

apenas uma noite

a mais recente aparelhagem pendendo sobre meu travesseiro
recebe
luz da rua pela janela por entre a névoa do álcool

eu era o filhote de uma puritana que me surrava quando
o vento agitava folhas de relva que os olhos conseguiam ver
se mexendo e
você era uma
menina do convento observando as freiras espanarem
a areia de Las Cruces dos mantos de Deus.

você é
o ramalhete
de ontem tão tristemente
invadido. eu beijo seus pobres
seios enquanto minhas mãos tateiam em busca do amor
neste apartamento barato em Hollywood cheirando a
pão e gás e tristeza.

avançamos por rotas lembradas
os mesmos degraus velhos de guerra lisinhos com centenas de
passos, 50 amores, 20 anos.
e nos concedem um verão muito pequeno, e
aí já é
inverno de novo
e você está arrastando pelo piso

uma coisa pesada e embaraçosa
e a descarga soa no banheiro, um cão late
a porta de um carro é batida com força...
algo nos fugiu inescapavelmente, tudo,
ao que parece, e eu acendo um cigarro e
aguardo a mais velha maldição
de todas.

a travessura da expiração

eu sou, quando muito, delicado pensamento de delicada mão
que extingue pela corda de mistura, e quando
por baixo do amor das flores estou calmo,
e a aranha bebe a hora verdejante –
batem sinos cinzentos de bebida,
que uma rã diga
    uma voz morreu,
que as bestas da despensa
e os dias que odiaram isso,
as esposas contrariadas que pranteiam sem piscar,
planícies da pequena rendição
entre Mexicali e Tampa;
galinhas abatidas, cigarros fumados, pães fatiados,
e não tomem isso por tristeza torta:
coloquem a aranha no vinho,
batam nos finos lados do crânio dotados de fraco relâmpago,
façam disso menos do que um beijo traiçoeiro,
inscrevam-me na dança
vocês bem mais mortos,
sou um prato para suas cinzas,
sou um punho para seu ar.

a coisa mais imensa sobre a beleza
é vê-la desaparecida.

o amor é uma forma de egoísmo

vadiagem, a trompa de eustáquio e a hera verde insetomorta
e o modo como andamos esta noite
com o céu subindo em nossos ouvidos e nos nossos bolsos
enquanto falávamos de coisas que não importavam
e o bonde balançava e uivava sua cor
que não notamos exceto como algo ao lado da véspera
enquanto mencionávamos o sexo através de paralisias,
vadiagem, o fogo vermelho, vadiagem a trompa de eustáquio!
já se foram os dias, já se foi a hera verde insetomorta
e as palavras ditas esta noite que não importavam;
X 12, Escarlate e Ouro
        OURO OURO OURO OURO OURO!
teus olhos são ouro
   teu cabelo é ouro
      teu amor é ouro
         teu túmulo é ouro
e as ruas passam como pessoas caminhando
e os sinos tocam como sinos tocando;
tuas mãos são ouro e tua voz é ouro
e todas as crianças caminhando
e as árvores crescendo e os idiotas vendendo jornais
34256780000 ah enquanto você está

trompa de eustáquio
      fogo vermelho
           verdeinsetomorta
              hera
escarlate e ouro
e as palavras que dissemos esta noite
estão indo embora
           por cima das árvores
junto com o bonde
e eu fechei o livro
           com o vermelho vermelho leão
junto aos portões de ouro.

para Jane: com todo o amor que eu tinha, que não foi suficiente

eu pego a saia,
eu pego as contas cintilantes
em preto,
essa coisa que se movia outrora
em volta de carne,
e chamo Deus de mentiroso,
repito qualquer coisa que se movesse
daquele jeito
ou soubesse
meu nome
jamais poderia morrer
na veracidade comum da morte,
e eu pego
seu gracioso
vestido,
sua graciosidade toda se foi,
e falo
a todos os deuses,
deuses judeus, deuses de Cristo,
lascas de coisas piscantes,
ídolos, pílulas, pão,
profundidades, riscos,
rendição experiente,
ratos no molho de 2 totalmente enlouquecidos

sem chance,
conhecimento de beija-flor, chance de beija-flor,
eu me apoio nisso,
eu me apoio em tudo isso
e sei:
seu vestido em meu braço:
mas
não querem
devolvê-la pra mim.

para Jane

225 dias sob a relva
e você sabe mais do que eu.

há muito que levaram seu sangue,
você é um graveto seco numa cesta.

é assim que funciona?

nesse quarto
as horas de amor
ainda fazem sombras.

quando você partiu
levou junto quase
tudo.

nas noites me ajoelho
perante tigres
que não me deixam em paz.

o que você foi
não vai acontecer de novo.

os tigres me encontraram
e eu não me importo.

Charles Bukowski
1623 N. Mariposa Ave.
Los Angeles, 27, Calif.

        FOR JANE: WITH ALL THE LOVE I HAD,
        WHICH WAS NOT ENOUGH:--

I pick up the skirt,
I pick up the sparkling beads
in black,
this thing that moved once
around flesh,
and I call God a liar,
I say anything that moved
like that
or knew
my name
could ever die
in the common verity of dying,
and I pick
up her lovely
dress,
all her lovliness gone,
and I speak
to all the gods,
Jewish gods, Christ-gods,
chips of blinking things,
idols, pills, bread,
fathoms, risks,
knowledgeable surrender,
rats in the gravy of 2 gone quite mad
without a chance,
hummingbird knowledge, hummingbird chance,
I lean upon this,
I lean on all of this:
and I know:
her dress upon my arm:
but
they will not
give her back to me.

notificação

os cisnes se afogam em água imunda,
retirem os avisos,
testem os venenos,
isolem a vaca
do touro,
a peônia do sol,
tirem os beijos de alfazema da minha noite,
coloquem as sinfonias nas ruas
como mendigos,
deixem as unhas de prontidão,
açoitem as costas dos santos,
atordoem sapos e ratos para o gato da alma,
queimem as pinturas arrebatadoras,
mijem no amanhecer,
meu amor
está morto.

meu verdadeiro amor em Atenas

    e eu me lembro da faca,
    do modo como você toca uma rosa
    e sai com sangue
    e como você toca o amor do mesmo modo,
    e como quando você quer entrar na autoestrada
    os caminhões encurralam você na pista interna
    luar e rugindo
    atropelando sua bravura,
    fazendo você pisar no freio
    e pequenas imagens surgem na sua cabeça:
    imagens de Cristo pendurado lá
    ou Hiroshima
    ou sua última esposa
    fritando um ovo.

    o modo como você toca uma rosa
    é o modo como você se encosta nas laterais dos caixões
    dos mortos,
    o modo como você toca uma rosa
    e vê os mortos rodopiando de volta
    por baixo das suas unhas;
    a faca
    Gettysburg, as Ardenas, Flandres,
    Átila, Muss –

de que me serve a história
quando tudo se reduz
à sombra das três da tarde
embaixo de uma folha?

e se a mente fica atormentada
e a rosa morde
como um cão,
dizem
que temos amor...

mas de que me serve o amor
quando todos nascemos
em diferentes momentos e lugares
e só nos encontramos
através de um truque dos séculos
e três passos casuais
à esquerda?

você quer dizer que
um amor que não encontrei
é menos do que um egoísmo
que chamo de próximo?

posso dizer agora
com sangue de rosa no fundo da minha mente,
posso dizer agora enquanto rodopiam os planetas
e toneladas de força são disparadas dentro do fim do espaço
para fazer Colombo parecer uma criança idiota
posso dizer agora

que porque gritei dentro de uma noite
e não me ouviram,
posso dizer agora
que me lembro da faca
e fico sentado num quarto fresco
e esfrego meus dedos ao apito do relógio
e calmamente penso em
Ajax e escarro
e galinhas ferroviárias atravessando os trilhos dourados,
e meu verdadeiro amor está em Atenas
600
A ou D,
enquanto fora da minha janela
pombos tropeçam enquanto voam
e por uma porta
de longa espera para um quarto vazio
rosas não conseguem
entrar ou sair,
ou amor ou mariposas ou relâmpago –
eu não irromperia nem em suspiro
nem em sorriso; poderiam nadas
como mariposas ou homens
existir como luz solar laranja sobre papel
dividido por nove?

Atenas fica agora a muitas milhas
e uma morte de distância,
e as mesas estão sujas pra cacete
e os lençóis e os pratos,
mas estou rindo; isso não é real;

mas é, dividido por nove
ou cem;
roupa limpa é amor
que não se coça
e suspira.

mulher adormecida

fico sentado na cama à noite e ouço você
roncar
conheci você numa estação rodoviária
e agora fico viajando nas suas costas
de um branco doentio e manchadas por
sardas de criança
enquanto a lâmpada desnuda a insolúvel
tristeza do mundo
sobre o seu corpo.

não consigo ver seus pés
mas só posso deduzir que sejam
os mais encantadores pés.

a quem você pertence?
você é real?
eu penso em flores, animais, pássaros
todos eles parecem mais do que bons
e tão claramente
reais.

mas você não consegue evitar ser uma
mulher. cada um de nós é selecionado para ser
algo. a aranha, o cozinheiro.
o elefante. é como se fôssemos cada um

uma pintura pendurada em alguma
parede de galeria.

– e agora a pintura se vira
de costas, e por cima de um cotovelo curvado
consigo ver ½ boca, um olho e
quase um nariz.
o resto de você está escondido
fora de vista
mas sei que você é uma
obra
contemporânea, moderna e viva
talvez não imortal
mas nós já
amamos.

por favor continue a
roncar.

uma festa aqui – metralhadoras, tanques, um
exército lutando contra homens nos telhados

    se o amor pudesse continuar como papel de piche
    ou até mesmo na medida do significado
    mas não funciona
    não pode funcionar
    há babacas demais
    mulheres que escondem suas pernas demais
    exceto em camas especiais
    há moscas demais no
    teto e tem sido um verão
    quente
    e os distúrbios em Los Angeles
    terminaram faz uma semana
    e queimaram prédios e mataram policiais e
                                         homens brancos e
    eu sou um homem branco e acho que não fiquei
       particularmente
    alvoroçado porque sou um homem branco e sou pobre
    e pago por ser pobre
    porque faço tão poucas paradas de mão para os outros quanto
                                               possível
    e então sou pobre porque *escolhi* ser e acho que
    não é tão desconfortável desse
    jeito

e então ignorei os distúrbios
porque concluí que ambos negros e brancos
queriam várias coisas que não interessavam
a mim
além disso tendo uma mulher aqui que fica muito alvoroçada
　　com
discriminação a Bomba segregação
você sabe você sabe
eu deixo ela ir falando até que por fim a conversa
me cansa
pois não ligo muito para a
resposta padrão
ou as confusas criaturas solitárias que gostam de se unir a uma
CAUSA simplesmente porque uma causa as arranca de sua
　　　　　　　　　　　　　　　　　　　　　　　　babosa
imbecilidade rumo a um fluxo de
ação. já eu gosto de tempo para pensar, pensar, pensar...
mas foi uma festa aqui, sério, metralhadoras, tanques,
o exército lutando contra homens nos telhados...
a mesma coisa que acusamos a Rússia de fazer. bem, é
um jogo escroto, e não sei o que fazer, exceto
se for como um amigo meu disse que eu disse certa noite
　　quando
eu estava bêbado: "Nunca mate alguém, mesmo que pareça
ser a última ou a única coisa a fazer".
riso. tudo bem. poderia deixar você feliz
que eu até tenha um fluxo de remorso quando mato uma
mosca. uma formiga. uma pulga. mas vou em frente. eu as mato e
vou em frente.

　　deus, o amor é mais estranho do que numerais mais estranho
　　　　　　　　　　　　　　　　　　　　　　　　do que
relva pegando fogo mais estranho do que o corpo morto de
　　uma criança

afogada no fundo de uma banheira, sabemos tão
pouco, sabemos tanto, não sabemos
o bastante.

      de qualquer forma, realizamos nossos movimentos,
        intestinais,
                                                             às vezes
sexuais, às vezes celestiais, às vezes espúrios, ou
às vezes percorremos um museu para ver o que
restou de nós ou disso, a triste paralisia estrangulada de fundo
de manicômio envidraçado e congelado e estéril
suficiente para fazer você querer sair para o sol de novo
e dar uma olhada, mas no parque e nas ruas
os mortos continuam passando como se já estivessem
num museu. talvez o amor seja sexo. talvez o amor seja uma
    tigela de
mingau. talvez o amor seja um rádio desligado.

de qualquer jeito, foi uma festa.
uma semana atrás.

hoje fui à pista com rosas nos meus olhos. dólares no
                                                                                      meu
bolso. manchetes no beco. são mais de cento e cinquenta
    quilômetros de
                                                                                      trem,
só de ida. um grupo de bêbados voltando, duros de novo, o
                                                                                     sonho
abatido de novo, corpos oscilando; tagarelando no vagão do
    bar e eu
                                                                                    estou ali
também, bebendo, rabiscando a esperança que resta na
    penumbra,

                                                                                  o
barman era um negro e eu era branco. maus lençóis. demos
um jeito.
                          nada de festa.

os jornais ricos ficam falando "A Revolução
                                                   Negra" e
"A Ruptura da Família Negra". o trem entrou na cidade
                                                              afinal,
e eu me livrei dos 2 homossexuais que estavam me pagando
                                                                  bebidas, e
fui mijar e fazer uma ligação e enquanto eu passava
                                                                       pelo
acesso rumo à latrina masculina havia 2 negros numa
                                                      banca de engraxate
engraxando sapatos de homens brancos e os homens brancos
    lhes
                                                  permitiam fazê-lo.

                caminhei até um bar mexicano
e tomei alguns uísques e quando saí a garçonete me deu um
papelzinho com seu nome, endereço e número de telefone
escritos, e quando cheguei na rua   joguei o papel na sarjeta
entrei no meu carro e dirigi   rumo à Zona Oeste de Los
                                                                      Angeles
e tudo parecia igual   igual como sempre foi
e na Alvarado com a Sunset eu   reduzi pra 65
vi um policial   gordo em sua moto
com uma cara hedionda e alerta
e fiquei enojado comigo mesmo e com

todo mundo, todo o pouco que qualquer um de nós
tinha feito, amor, amor, amor,
e as torres balançavam como velhas stripteasers
rezando pela mágica perdida, e eu segui dirigindo
engraxando os sapatos de todos os negros e gringos da
América, incluindo
os meus.

para os 18 meses de Marina Louise

    sol sol
    é minha pequena
    menina
    sol
    no tapete –
    sol sol
    saindo pela
    porta
    colhendo uma
    flor
    esperando que eu
    me levante
    para
    brincar.

    um velho
    emerge
    de sua
    cadeira,
    castigado de batalha,
    e ela olha
    e só
    vê
    amor, no que eu

me transformo
por meio de sua
majestade
de seu infinito
e mágico
sol.

poema para minha filha

(me falam que sou agora um
cidadão responsável, e através de sol grudado em setentrionais
janelas de pó
camélias vermelhas são flores chorando enquanto
bebês ficam chorando.)

eu pego com a
colher: janta de macarrão de frango escorrido
miniameixas secas
minissobremesa de fruta

pego com a colher e
pelo amor de Deus
não culpe a
criança
não culpe o
gov.
não culpe os chefes ou as
classes trabalhadoras –

enfio com a colher
por estes braços e peito
como cera
eletrocutada

um amigo liga:
"Vai fazê o quê agora, Hank?"
"Que diabo você quer dizer com vou fazê o quê?"
"Quero dizê cê tem responsabilidade, cê precisa criar
a menina
direito."

alimentá-la:
enfiar com a
colher:
uma casa em Beverly Hills
e nenhuma necessidade de seguro-desemprego
e nunca vender a quem dá o maior
lance

nunca se apaixonar por um soldado ou matador de qualquer
tipo

gostar de Beethoven e Jellyroll Morton e
vestidos de pechincha

ela tem uma
chance:
houve outrora o
Fundo Theorikon e hoje existe a
Grande Sociedade

"Cê vai continuar jogando nos cavalos? cê vai continuar
bebendo? cê vai continuar..."

"sim."

telefone, flor ondulante no vento e os ossos mortos do
meu coração –
agora ela dorme lindamente como
barcos no Nilo

talvez um dia ela vá
me enterrar

isso seria muito bom

se não fosse uma
responsabilidade.

resposta a um bilhete encontrado na caixa de correio

"o amor é como um sino
me diga, você já
o escutou na voz dela?"

o amor não é como um sino
isso é poético, verdade,
mas escutei algo na voz dela
que no vômito do meu tormento
que na caveira pousada na janela
arreganhando os dentes amarelos quebrados
me alçou a um clima que raras vezes
conheci –
"aqui, uma flor. eu trago flor."
escuto algo na voz dela
que nada tem a ver com suados e traiçoeiros
e sangrantes exércitos
que nada tem a ver com o chefe da fábrica com olhos
quebrados

não estou implicando com as suas palavras:
você tem o seu sino
eu tenho isso e talvez você tenha isso também:
"eu trago sapatos. sapato. sapato. aqui um
sapato!"

é mais do que aprender o que é um sapato
é mais do que aprender o que sou ou o que ela
é
é outra coisa
que talvez nós que vivemos há muito tempo já quase esquecemos

que uma criança venha dos pântanos da minha dor
carregando flores, efetivamente carregando flores,
jesus, isso é quase demais
que me seja permitido ver com olhos e tocar e
rir,
essa besta informada em mim
faz careta no íntimo
mas logo constata que o esforço é grande demais para se
　　esconder
atrás
e essa pequena criatura que me conhece tão bem
rasteja por tudo através e em cima de mim
Lázaro Lázaro
e não sinto vergonha
guerreiro espancado por horas e anos de
desperdício
o amor é como um sino
o amor é como uma montanha púrpura
o amor é como um copo de vinagre
o amor são todas as sepulturas
o amor é uma janela de trem
ela sabe o meu nome.

todo o meu amor é dedicado a ela (para A.M.)

astutamente armado com argumentos para o papa
abro meu caminho em meio às pessoas não elétricas
buscando razões para minha morte e meu viver;
é um dia encantador para aqueles que gostam dos dias –
para aqueles que aguardam a noite
como eu, aí o dia é uma merda e a merda é para
os esgotos,
e eu abro a porta de um minúsculo café
e uma garçonete vestindo azul-escuro
se aproxima como se o meu pedido fosse *ela*.
"3 pernas de faisão", eu lhe digo,
"as costas de um frango e 2 garrafas de razoável vinho
francês."
ela sai
contorcendo-se em seu azul
e todo o meu amor é dedicado a ela
mas não há jeito,
e fico sentado encarando as plantas
e falo às plantas, com minha mente:
não dá pra vocês me amarem?
não dá pra algo acontecer aqui?
precisam as calçadas ser sempre calçadas, precisam os generais
continuar rindo em seus sonhos,
precisa sempre continuar sendo
que nada é verdade?

eu olho à minha esquerda e vejo um homem enfiando o dedo no
    nariz;
ele esfrega o resíduo embaixo de uma
cadeira; é bem verdade, eu penso, eis a sua
verdade, e eis o seu amor:
ranho endurecendo embaixo de uma cadeira durante
noites quentes quando o inferno chega e simplesmente
cospe em cima de
você todo.
plantas, repito, vocês não podem?
e eu quebro parte de uma folha de alocásia
e o teto todo se racha e abre
o céu é uma escadaria para baixo,
a garçonete se aproxima e fala:
"isso é tudo, senhor?"
e eu falo "sim, obrigado, isso
basta".

resposta para certa espécie de crítica

uma dama talvez se encontre com um homem
por causa do jeito como ele escreve
e logo a dama já poderia estar sugerindo
outro jeito de escrever.

mas se o homem amar a dama
ele vai continuar escrevendo do jeito que escreve
e se o homem amar o poema
ele vai continuar escrevendo do jeito que deve

e se o homem amar a dama e o poema
ele sabe o que é o amor
duas vezes mais do que qualquer outro homem

eu sei o que é o amor.
este poema é para dizer isso à dama.

o banho

nós gostamos de tomar banho depois
(gosto da água mais quente do que ela)
e o rosto dela é sempre macio e calmo
e ela me lava primeiro
espalha espuma pelo meu saco
levanta o saco
aperta os colhões,
então lava o pau:
"ei, essa coisa ainda está dura!"
então pega os pelos todos ali embaixo –
a barriga, as costas, o pescoço, as pernas,
eu abro sorriso sorriso sorriso,
e então a lavo...
primeiro a xota, eu
fico atrás dela, meu pau em suas nádegas
vou ensaboando suavemente os pelos da xota,
lavo ali com um movimento relaxante,
me demoro talvez mais do que o necessário,
então pego a parte de trás das pernas, a bunda,
as costas, o pescoço, eu a viro, eu a beijo,
ensaboo os peitos, pego eles e a barriga, o pescoço,
a frente das pernas, os tornozelos, os pés,
e então a xota, mais uma vez, pra dar sorte...
outro beijo, e ela sai primeiro,

atoalhada, às vezes cantando enquanto eu permaneço
ligando a água no mais quente
sentindo os bons momentos do milagre do amor
e então saio...
geralmente é a calmaria do meio da tarde,
e nos vestindo nós conversamos sobre o que mais
pode haver para fazer,
mas estarmos juntos resolve a maior parte,
na verdade, resolve tudo
pois enquanto essas coisas permanecerem resolvidas
na história da mulher e do
homem, é diferente para cada um
melhor e pior para cada um –
para mim, já é bastante esplêndido recordar
a passagem dos exércitos em marcha
e os cavalos que percorrem as ruas lá fora
a passagem das memórias de dor e derrota e infelicidade:
Linda, você o trouxe para mim,
quando levá-lo embora
faça-o devagar e sem esforço
faça-o como se eu estivesse morrendo no meu sono em vez de na
minha vida, amém.

2 cravos

meu amor me trouxe 2 cravos
meu amor me trouxe vermelho
meu amor me trouxe ela
meu amor me pediu para eu não me preocupar
meu amor me pediu para não morrer

meu amor são 2 cravos sobre uma mesa
ouvindo Schoenberg
num entardecer escurecendo em noite

meu amor é jovem
os cravos ardem no escuro;
ela se foi deixando um gosto de amêndoas
seu corpo tem gosto de amêndoas

2 cravos ardendo vermelhos
enquanto ela fica parada na distância
agora sonhando com cães de porcelana
tinindo por entre seus dedos

meu amor são dez mil cravos ardendo
meu amor é um beija-flor parado naquele calmo momento
no galho
enquanto o mesmo gato
se agacha.

você já beijou uma pantera?

essa mulher acha que é uma pantera
e às vezes quando estamos fazendo amor
ela solta grunhidos e cospe
e seu cabelo vem abaixo
e ela olha por entre os fios
e me mostra suas presas
mas eu a beijo mesmo assim e continuo amando.
você já beijou uma pantera?
você já viu uma pantera fêmea desfrutando
o ato do amor?
você não amou, amigo.
você com suas loirinhas tingidas
você com seus esquilos e tâmias
e elefantes e ovelhas.
você deveria dormir com uma pantera
nunca mais você vai querer
esquilos, tâmias, elefantes, ovelhas, raposas,
carcajus,
nunca nada exceto a pantera fêmea
a pantera fêmea atravessando a sala
a pantera fêmea atravessando a sua alma;
todas as outras canções de amor são mentiras
quando aquela pelagem preta e macia se roça em você
e o céu desaba nas suas costas,

a pantera fêmea é o sonho que chegou real
e não há como voltar atrás
ou querer voltar –
a pelagem roçando em você,
a busca terminou
enquanto seu pau avança diante da beira do Nirvana
e você fica preso diante dos olhos de uma pantera.

o melhor poema de amor que posso escrever no momento

ouça, eu disse a ela,
por que você não enfia sua língua
no meu
cu?

não, ela disse.

bem, eu disse, se eu enfiar minha língua
no seu cu primeiro
aí você enfia a sua língua
no meu
cu?

tá bom, ela disse.

mergulhei de cabeça lá embaixo
e dei uma olhada,
abri uma parte,
então projetei minha língua...

aí não, ela disse,
ah, hahaha, aí não, esse não é
o lugar certo!

vocês mulheres têm mais buracos do que
queijo suíço...

não quero que você
faça
isso.

por quê?

bem, aí eu vou ter que fazer
também e aí na próxima festa
você vai contar às pessoas que eu lambi o seu cu
com a minha língua.

e se eu prometer que não vou
contar?

você vai ficar bêbado, você vai
contar.

o.k., eu disse, vire o corpo,
vou enfiar no
outro lugar.

ela se virou e eu enfiei minha língua
naquele outro lugar.

estávamos apaixonados

estávamos apaixonados
exceto por aquilo que eu falava nas
festas

e não estávamos apaixonados
pelos cus
um do outro.

ela quer que eu escreva um poema de amor
mas acho que se as pessoas
não conseguem amar os cus
umas das outras

e os peidos e as merdas e as partes terríveis
assim como amam
as partes boas,
isso não é o amor completo.

então até onde podem chegar os poemas de amor,
até onde chegamos nós,
este poema vai ter que
servir.

ISSO É O QUE VOCÊ GANHA
PELO SEU SEXISMO.

metendo até as bolas

metendo até as bolas
metendo como o burro
metendo como o boi
metendo metendo metendo
metendo como os pombos
metendo como os porcos

como alguém se torna uma flor
polinizada pelos ventos e pelas abelhas?

metendo até as bolas à meia-noite
metendo às quatro da manhã
metendo na terça-feira
metendo na quarta-feira
metendo como um maldito touro
metendo como um submarino
metendo como uma bala puxa-puxa
metendo como a cavidade sem sentido da perdição
metendo metendo metendo,
eu mergulho meu chicote branco
sentindo os olhos dela se revirarem em glória,
ó bolas, ó trombeta e bolas
ó chicote branco e bolas, ó
bolas,
eu poderia ficar metendo até as bolas pra sempre

por cima
por baixo
de lado
bêbado sóbrio triste feliz irritado
metendo até as bolas,
uma intensidade de mistura:
2 almas grudadas
jorrando...
meter torna tudo melhor.
os que não metem não sabem.
os que não podem meter são semimortos.
os que não conseguem encontrar alguém para meter estão no
　　　inferno.
eu durmo com as minhas bolas na mão para que ninguém as
　　　roube.

que o ar todo esteja limpo com flores e árvores e touros.
que parte da justiça de como vivemos nossas vidas seja a canção do
　　　corpo.
que cada uma de nossas mortes e semimortes seja tão tranquila
　　　quanto
possível agora.
enquanto isso, ó bolas, ó bolas, ó belas, ó belas bolas, bolas
belas, ó bolas metidas bolas ó metidas bolas minhas e
suas e deles e nossas para todo o sempre
esta noite e terça-feira quarta-feira da sepultura em lágrimas, eu
　　　amo
　　　　　　　　　　　　　　　　　　　　　　　vocês
mulheres, eu amo vocês.

quente

ela era quente, ela era tão quente
eu não queria que ninguém mais ficasse com ela,
e quando eu não chegava em casa a tempo
ela já tinha se mandado, e eu não suportava isso –
eu enlouquecia...
era ridículo, eu sei, infantil,
mas eu estava preso naquilo, eu estava preso.

entreguei a correspondência toda
e aí Henderson me colocou na coleta noturna
num velho caminhão do exército,
o maldito troço começou a esquentar na metade da coleta
e a noite avançava
eu pensando sobre a minha quente Miriam
e pulando pra dentro e pra fora do caminhão
enchendo malotes de correspondência
o motor cada vez mais aquecido
o ponteiro da temperatura estava no máximo
QUENTE QUENTE
como Miriam.

eu saltava pra dentro e pra fora
só mais 3 coletas e na estação
eu estaria, meu carro

esperando pra me levar até Miriam sentada em meu sofá azul
uísque com gelo na mão
cruzando as pernas e balançando os tornozelos
como de costume,
só mais duas coletas...
o caminhão enguiçou num semáforo, era o inferno tomando conta
de novo...
eu precisava estar em casa às 8, 8 era o horário limite para Miriam.

fiz a última coleta e o caminhão enguiçou numa sinaleira
a ½ quadra da estação...
o motor não pegava, não tinha como pegar...
tranquei as portas, tirei a chave e fui correndo até a estação...
joguei as chaves na mesa... registrei minha saída...
"o seu maldito caminhão está enguiçado na sinaleira,
Pico com Western..."

...atravessei o corredor às pressas, enfiei a chave na porta,
abri... o copo da bebida estava lá com um bilhete:

filho da puta:
   eu esperei até oito e 5
   cê não me ama
   seu filho da puta
   alguém vai me amar
   fiquei esperando dia todo
      Miriam

eu servi um drinque e deixei a água ir enchendo a banheira
havia 5.000 bares na cidade
e eu percorreria 25 deles
procurando por Miriam

seu ursinho de pelúcia roxo segurava o bilhete
recostado num travesseiro

dei um drinque para o ursinho, um drinque para mim
e entrei na água
quente.

sorrindo, brilhando, cantando

minha filha parecia uma Katharine Hepburn muito jovem
na apresentação de Natal da escola primária.
estava lá com os outros
sorrindo, brilhando, cantando
no vestido longo que eu tinha comprado pra ela.

ela parece a Katharine Hepburn, falei à mãe dela
que estava sentada à minha esquerda.
ela parece a Katharine Hepburn, falei à minha namorada
que estava sentada à minha direita.
a vó da minha filha estava a dois assentos de mim;
não falei nada pra ela.

nunca gostei das atuações de Katharine Hepburn,
mas sempre gostei de sua aparência,
de sua classe, sabe,
alguém com quem você podia conversar na cama
por uma hora e meia antes de pegar no
sono.

posso ver que minha filha vai ser uma
mulher belíssima.
um dia quando eu estiver bastante velho
ela provavelmente vai me trazer o urinol com um sorriso
dos mais amáveis.

e ela provavelmente vai se casar com um caminhoneiro que
caminha pesadão
e joga boliche todas as quintas à noite
com a rapaziada.
bem, nada disso importa.
o que importa é o agora.

sua avó é uma grande mulher de rapina.
sua mãe é uma liberal psicótica e amante da vida.
seu pai é um bêbado.

minha filha parecia uma Katharine Hepburn muito jovem.
depois da apresentação de Natal
nós fomos ao McDonald's e comemos, e alimentamos os
    pardais.
faltava uma semana para o Natal.
estávamos menos preocupados com isso do que nove décimos da
    cidade.
isso é classe, nós dois temos classe.
ignorar a vida no momento certo exige uma sabedoria especial:
como um Feliz Ano-Novo para
todos vocês.

visita a Venice

nós fomos dar uma caminhada ao longo da praia em Venice
os hippies sentados esperando pelo Nirvana
alguns deles golpeando bongôs,
as últimas das velhas damas judias esperando a morte
esperando pelo momento de seguir seus maridos que já
    partiram faz tanto tempo,
o mar ondulava para lá e para cá,
ficamos cansados e nos deitamos num gramado
e minha filha de 8 anos passou os dedos por
minha barba dizendo: "Hank, está ficando cada vez mais
branca!" Eu ri direto para o céu, ela era
tão engraçada. então ela tocou meu bigode: "Está ficando
branco também". Eu ri de novo. "E as minhas sobrancelhas?",
eu perguntei. "Tem um aqui. É meio branco e meio
vermelho."
"é?" "sim."
fechei meus olhos por um momento. ela passou os dedos pelo
    meu
cabelo. "Mas não tem branco no seu cabelo, Hank. Nem um
    único
cabelo é branco..."
"Não, aqui perto da orelha direita", eu disse, "está começando."
levantamos e continuamos nossa caminhada até o carro.
"Frances tem o cabelo todo branco", ela disse.
"Sim", eu disse, "mas são aqueles 5 longos cabelos brancos
pendurados no queixo dela que não são muito bonitos."
"Foi por isso que vocês se separaram?"

"Não, ela alegou que eu fui pra cama com outra mulher."
"Você fez isso?"
"Veja como o céu está alto!"
o mar ondulava pra lá e pra cá.
"Ela não vai achar homem algum disposto a beijá-la com
    aqueles 5 cabelos brancos
no queixo dela."
"Mas ela acha!"
"Ah é?"
"Bem, não muitos..."
"50.000?"
"Ah, não..."
"5?"
"Sim, 5. Um homem para cada cabelo."

entramos de volta no carro e eu a conduzi de volta até
sua mãe.

poema de amor para Marina

minha menina tem 8 anos
e isso é idade suficiente para pensar
bem ou mal ou
qualquer coisa
então relaxo em volta dela e
ouço várias coisas espantosas
sobre sexo
a vida em geral e a vida em particular;
na maior parte é muito
fácil
exceto que eu me tornei pai quando os homens na maioria
se tornam avôs, sou um iniciante muito tardio
em tudo,
e eu me deito na grama e na areia
e ela arranca dentes-de-leão
e os coloca no meu
cabelo
enquanto eu cochilo sob a brisa marítima.
eu desperto
me sacudo
falo: "que diabo?"
e flores caem sobre os meus olhos e sobre o meu nariz
e sobre os meus lábios.

eu as remove com a mão
e ela se senta em cima de mim
dando risadinhas.

filha,
certo ou errado,
eu te amo, sim,
é só que às vezes eu ajo como se
você não estivesse presente,
mas houve brigas com mulheres
bilhetes deixados em cômodas
trabalhos em fábricas
pneus furados em Compton às 3 da manhã,
todas essas coisas que impedem as pessoas de
conhecer umas às outras e
pior do que
isso.

obrigado pelas
flores.

posso ouvir o som das vidas humanas sendo rasgadas em pedaços

estranho calor, fêmeas quentes e frias,
eu faço amor gostoso, mas amor não é só
sexo, e as mulheres que conheci são na maioria
muito ambiciosas, e eu gosto de ficar atirado
sobre grandes travesseiros sobre colchões às 3
da tarde, gosto de olhar o sol
através das folhas de um arbusto lá fora
enquanto o mundo exterior
se mantém afastado de mim, conheço isso muito bem, todas
as páginas sujas, e eu gosto de ficar atirado
minha barriga voltada para o teto depois de fazer amor
tudo fluindo bem:
nectarinas, luvas de boxe usadas, livros de história da
Guerra da Crimeia;
é tão tranquilo ficar tranquilo – se você gostar, nada mais
é necessário.
mas a fêmea é estranha, ela é muito
ambiciosa – "Merda! Não posso dormir o dia todo!
Comer! Fazer amor! Dormir! Comer! Fazer amor!"

"Minha querida", eu lhe digo, "há homens lá fora agora
colhendo tomates, alface, até mesmo algodão,
há homens e mulheres morrendo embaixo do sol,

há homens e mulheres morrendo em fábricas
por nada, uma ninharia...
posso ouvir o som das vidas humanas sendo rasgadas em
pedaços...
você não sabe a sorte
que temos..."

"Mas você chegou lá", ela diz,
"os seus poemas..."

meu amor se levanta da cama.
eu a escuto na sala ao lado.
a máquina de escrever está funcionando.

não sei por que as pessoas pensam que esforço e energia
têm algo a ver com
criação.

creio que em assuntos como política, medicina,
história e religião
todos acreditaram em mentiras
também.

eu me deito de bruços e pego no sono com minha
bunda voltada para o teto.

para aquelas 3

enlouquecendo
sentado de bobeira ouvindo valsas
de Chopin, tendo dormido com 3 mulheres diferentes
em 3 diferentes estados
em duas semanas, o ritmo tem sido
difícil, sentado em bares de aeroporto
de mãos dadas com lindas mulheres
que leram Tolstói, Turguêniev e
Bukowski.
espantoso quão completamente uma mulher pode dar seu
amor – quando quer
fazer isso.
agora as mulheres estão longínquas
e fico aqui sentado de pés descalços
barba por fazer, bebendo cerveja e
ouvindo essas valsas
de Chopin, e
pensando em cada uma das mulheres
e me pergunto se elas pensam em mim
ou será que eu sou só um livro de poemas
perdido no meio de outros livros de poemas?
perdido no meio de Turguêniev e Tolstói.
não importa. elas deram o bastante.
quando tocarem meu livro agora
vão reconhecer os contornos do meu corpo
vão reconhecer minha risada e meu amor e
minha tristeza.
meus agradecimentos.

lua azul, ó luuuuuaaazuuuullll
te adoro tanto!

    gosto de você, querida, eu te amo,
    a única razão por que trepei com L. é porque você trepou
    com Z. e aí eu trepei com R. e você trepou com N.
    e porque você trepou com N. eu precisei trepar
    com Y. Mas penso em você constantemente, sinto você
    aqui na minha barriga como um bebê, amor é como eu
        chamaria isso,
    não importa o que aconteça eu chamaria isso de amor, e então
    você trepou com C. e então antes que eu pudesse me mexer de
        novo
    você trepou com W., então aí eu tive que trepar com D. Mas
    quero que você saiba que eu te amo, penso em você
    constantemente, acho que nunca amei alguém
    como amo você.

    uau au uau au au
    uau au uau au au

o primeiro amor

certa vez
quanto eu tinha 14 anos
os criadores me trouxeram
meu único sentimento de
chance.

meu pai não gostava
de livros e
minha mãe não gostava
de livros (porque meu pai
não gostava de livros)
sobretudo aqueles que eu trazia
da biblioteca:
D.H. Lawrence
Dostoiévski
Turguêniev
Górki
A. Huxley
Sinclair Lewis
outros.

eu tinha meu próprio quarto
mas às 8 da noite

devíamos estar todos indo dormir:
"Cedo na cama e cedo desperto:
o homem fica saudável, rico e esperto",
meu pai costumava dizer.

"LUZES DESLIGADAS!", ele gritava.

então eu pegava o abajur de cabeceira
colocava embaixo das cobertas
e com o calor e a luz escondida
eu continuava lendo:
Ibsen
Shakespeare
Tchékhov
Jeffers
Thurber
Conrad Aiken
outros.

eles me trouxeram chance e esperança e
sentimento num lugar sem chance,
sem esperança, sem sentimento.

eu trabalhei duro.
ficava quente embaixo das cobertas.
às vezes o abajur começava a soltar fumaça
ou os lençóis – começavam a
pegar fogo;
aí eu desligava o abajur,
segurava fora da janela para
esfriar.

sem esses livros
não tenho bem certeza
no que teria dado a minha
vida:
desvario; o
assassinato do pai;
idiotismo; imbecilidade;
insípida desesperança.

quando meu pai gritava
"LUZES DESLIGADAS!"
tenho certeza de que ele temia
a palavra bem escrita
que aparecia com suavidade
e razoabilidade
em nossa melhor e
mais interessante
literatura.

e foi ali
perto de mim
embaixo das cobertas
mais mulher do que mulher
mais homem do que homem.

eu tinha tudo
e
não deixei escapar.

amor

Sally me abandonava de um jeito
desleixado. ela era boa com os
bilhetes,
escrevia com uma letra grande
e indignada, ela era
boa nisso.

e ela levava sempre a maioria de suas
roupas,
mas eu abria uma garrafa
me sentava e olhava em volta –
e havia um chinelo rosa
embaixo da cama.
eu terminava o drinque
e me enfiava embaixo da cama
para pegar aquele chinelo rosa e
jogá-lo no lixo
e ao lado do chinelo rosa
eu encontrava uma calcinha
manchada de cocô.

e havia grampos de cabelo por todos os cantos:
no cinzeiro, na cômoda, no
banheiro. e suas revistas apareciam
por todos os cantos com suas capas exóticas:

"Homem Estupra Moça, Depois Joga o Corpo de um Penhasco de 120 Metros."
"Menino de 9 Anos Estupra 4 Mulheres em Banheiro de Parada de Ônibus da Greyhound e Coloca Fogo em Recipientes de Descarte."

Sally me abandonava de um jeito desleixado.
na gaveta de cima, perto do Kleenex,
eu encontrava todos os bilhetes que eu lhe escrevera,
ordenadamente presos com 3 ou 4 tiras
elásticas.

e ela era desleixada com
as fotos:
eu encontrava uma com nós dois
agachados no capô do nosso
Plymouth 58 –
Sally mostrando bastante das pernas
e arreganhando um sorriso como mulher de bandido em
   Kansas City
saída dos
anos vinte,
e eu
mostrando as solas dos meus sapatos
com buracos circulares
acenando.

e havia fotos de cachorros,
todos eles nossos,
e fotos de crianças,
a maioria
dela.

a cada uma hora e vinte minutos
o telefone tocava
e era
Sally
e uma canção de jukebox,
certa canção que eu
detestava, e ela ficava falando
e eu escutava vozes
masculinas:

"Sally, Sally, esqueça essa porra de telefone,
volte, venha ficar aqui comigo,
bebê!"

"veja bem", ela dizia, "existem outros homens no
mundo além de você."
"essa é só a sua opinião", eu respondia.
"eu poderia ter amado você pra sempre, Bandini", ela dizia.
"vai se foder", eu dizia e
desligava.

Bandini é estrume, óbvio,
mas era também o nome que eu me dera
em homenagem a um personagem um tanto sentimental e um
    tanto infantil
de um romance escrito por certo
italiano nos anos 1930.

eu servia outro drinque
e enquanto procurava uma tesoura no banheiro
para aparar o cabelo em volta das minhas orelhas
encontrava um sutiã numa das gavetas

e o segurava no alto junto à luz.
o sutiã tinha bom aspecto pelo lado de fora
mas por dentro – havia uma mancha de
suor e sujeira, e a mancha era escurecida,
moldada ali
como se nenhuma lavagem jamais
pudesse
eliminá-la.

eu bebia minha bebida
então começava a aparar o cabelo em volta das minhas orelhas
decidindo que eu era um homem bastante bonito.
mas eu ia levantar pesos
iniciar uma dieta
e me bronzear,
de qualquer maneira.

então o telefone tocava de novo
e eu levantava o fone
desligava
levantava o fone de novo
e o deixava
pendurado
pelo fio.

eu aparava meus pelos dos ouvidos, meu nariz, minhas
sobrancelhas,
bebia por mais uma ou duas horas,
então ia
dormir.

eu era despertado por um som que eu nunca chegara
a escutar antes –
dava uma sensação e soava como um alerta de
ataque atômico.
eu me levantava e procurava pelo som.
era o telefone
ainda fora do gancho
mas o som que vinha dele
lembrava muito mil vespas
morrendo queimadas. eu
pegava o
fone.

"senhor, aqui é o recepcionista. seu telefone está
fora do gancho."

"certo, sinto muito. vou
desligar."

"não desligue, senhor. sua esposa está no
elevador."

"minha esposa?"

"ela afirma ser a sra. Budinski..."

"certo, é
possível..."

"o senhor poderia tirá-la do
elevador? ela não entende os
comandos... a linguagem dela é abusiva para conosco

mas ela afirma que o senhor
vai ajudá-la... e, senhor..."

"sim?"

"não quisemos chamar a
polícia..."

"bom..."

"ela está deitada no piso do
elevador, senhor, e, e... ela...
se urinou
toda..."

"o.k.", eu dizia e
desligava.

eu saía de calção
drinque na mão
charuto na boca
e apertava o botão
do elevador.
lá vinha ele subindo:
um, dois, três, quatro...
as portas se abriam
e eis ali
Sally... e pequenos, delicados
gotejamentos e ondulantes filetes líquidos
derivando pelo piso do
elevador, e algumas poças
maculadas.

eu terminava o drinque
pegava-a e a carregava
para fora do
elevador.

eu a levava até o apartamento
jogava-a na cama
e tirava suas
calcinhas, saia e meias molhadas.
então eu colocava um drinque na mesinha
perto dela
me sentava no sofá
e eu mesmo tomava
mais um.

de repente ela se sentava ereta e
olhava em volta do
quarto.

"Bandini?", ela perguntava.
"aqui", eu
acenava com a mão.

"ah, graças a deus..."

então ela via o drinque e
o engolia de uma só
vez. eu me levantava,
servia outro, colocava cigarros, cinzeiro e
fósforos
ao lado.

então ela se erguia de novo:
"quem tirou as minhas
calcinhas?"

"eu."

"eu quem?"

"Bandini..."

"Bandini? você não pode
me comer..."

"você se
mijou..."

"quem?"

"você..."

ela se sentava totalmente
ereta:
"Bandini, você dança como uma
bicha, você dança como uma
mulher!"

"vou quebrar o seu maldito
nariz!"

"você quebrou o meu braço, Bandini, não me venha
quebrar o meu nariz..."

então ela colocava a cabeça de volta no
travesseiro: "eu te amo, Bandini, amo
mesmo..."

então ela começava a roncar. eu bebia por mais
uma hora ou duas então
me deitava na cama com
ela. não me dava vontade de tocá-la
no começo. ela precisava de um banho
ao menos. eu botava uma perna em cima de uma dela;
não parecia tão
ruim. eu testava botar a
outra.
eu começava a me lembrar de todos os dias bons e as
noites boas...
deslizava um braço por baixo de seu pescoço,
então passava o outro em volta de sua
barriga e encostava meu pênis bêbado
suavemente em sua
virilha.

seu cabelo caía de volta
e subia por dentro das minhas narinas.
eu a sentia inalando pesadamente, depois
expirando. nós dormíamos desse jeito
pela maior parte da noite e até a
tarde seguinte. então eu me levantava e
ia até o banheiro e vomitava
e então era
a vez dela.

inflamados de amor (para N.W.)

pequena garota morena de
bondade
quando chegar a hora de
enfiar a faca
não vou culpar
você.
e quando eu passar de carro pela praia
e as palmeiras acenarem,
as palmeiras feias e pesadas
e os vivos não chegarem
e os mortos não partirem,
não vou culpar você.
vou lembrar as horas de beijos
nossos lábios inflamados de amor
e como você me ofereceu
sua boceta sua alma suas entranhas
e como eu respondi
oferecendo-lhe o pouco que restava de
mim,
e vou lembrar os contornos do seu quarto
os contornos do seu corpo
seus discos
suas paredes
suas xícaras de café
suas manhãs e seus meios-dias e suas noites

e sua privada e sua
banheira.
nossos corpos derramados juntos
dormindo
aquelas minúsculas correntes fluindo
imediatas e eternas
cruzando
entrecruzando
sem parar.
sua perna minha perna
seu braço meu braço
sua tristeza e perda e calor
também meus,
memorizei você
cada formato seu
a sensação dos pelos da sua boceta nos meus dentes
em repuxo suave, e
você
que me fez rir nos
momentos apropriados
sempre.
pequena garota morena de bondade
você não tem nenhuma
faca. é
minha e não quero usá-la
ainda.

um poema de amor para todas as mulheres que eu conheci

    todas as mulheres
    todos os seus beijos as
    diferentes formas como amam e
    falam e precisam.

    suas orelhas todas elas têm
    orelhas e
    gargantas e vestidos
    e sapatos e
    automóveis e ex-
    maridos.

    na maioria
    as mulheres são muito
    calorosas elas me lembram
    torrada amanteigada com a manteiga
    derretida
    nela.

    há uma expressão no
    olhar: elas foram
    dominadas elas foram
    enganadas. não sei direito o que
    fazer por
    elas.

eu sou
um cozinheiro razoável um bom
ouvinte
mas nunca aprendi a
dançar – estava ocupado
então com coisas maiores.

mas desfrutei de suas diferentes
camas
fumando cigarros
olhando fixo para os
tetos. não fui nem perverso nem
injusto. apenas
um estudante.

sei que todas elas têm aqueles
pés e descalças elas atravessam o assoalho enquanto
observo suas nádegas acanhadas no
escuro. sei que elas gostam de mim, algumas até
me amam
mas eu amo bem
poucas.

algumas me dão laranjas e pílulas;
outras falam calmamente de
infância e pais e
paisagens; algumas são quase
loucas mas nenhuma delas é desprovida de
significado; algumas amam
bem, outras nem
tanto; as melhores no sexo nem sempre são as

melhores em outros
aspectos; cada uma tem limites como eu tenho
limites e aprendemos
um ao outro
depressa.

todas as mulheres todas as
mulheres todos os
quartos
os tapetes as
fotos as
cortinas, é
meio como uma igreja só que
às vezes há
risos.

aquelas orelhas aqueles
braços aqueles
cotovelos aqueles olhos
fitando o carinho e
a espera eu fui
abraçado eu fui
abraçado.

fax

ganha do amor porque
não há quaisquer feridas
baqueando na carne. pela
manhã ela liga o
rádio com Brahms ou Ives
ou Stravinsky ou Mozart.
ela ferve os ovos con-
tando em voz alta os segundos:
56, 57, 58. descasca
os ovos, os traz para
mim na cama. depois do café
da manhã é o sofá, nós
colocamos os pés sobre a mesma
cadeira e ouvimos a
música clássica. ela
está em seu primeiro copo de
scotch e em seu terceiro
cigarro. digo-lhe que
preciso ir ao hipó-
dromo. ela está por aqui
faz 2 noites e 2 dias.
"quando vou ver você
de novo?", pergunto. ela sugere
que isso dependeria de mim.
assinto com a cabeça e Mozart toca.

um para o engraxate

o equilíbrio está nas lesmas escalando as
falésias de Santa Monica;
a sorte está em descer a Western Avenue
e acontecer que uma das garotas de uma casa
de massagem grite pra você "Alô, Doçura!"
o milagre está em ter cinco mulheres apaixonadas
por você aos 55 anos de idade,
e o bom de tudo é que você só é capaz
de amar uma delas.
o dom está em ter uma filha mais delicada
do que você é, cuja risada é mais bela
do que a sua.
a placidez está em ser capaz de dirigir um
Fusca 67 azul pelas ruas como um
adolescente, o rádio sintonizado no Apresentador que Mais
   Ama
Você, sentindo o sol, sentindo o sólido ronco
do motor retificado
enquanto você costura o tráfego
e deixa os mortos putos da cara.
a graça está em ser capaz de gostar de rock,
música sinfônica, jazz...
tudo que contenha o júbilo da energia
original.

e a matemática que retorna
é o profundo baixo-astral sob
você estendido sobre você
entre as paredes de guilhotina –
furioso com o som do telefone
ou com os passos de qualquer um passando;
e a outra matemática:
a iminente animação que se segue
fazendo com que os caras sentados nos bancos
junto aos carrinhos de taco
pareçam gurus
fazendo com que a garota do caixa no
supermercado pareça
Marilyn
ou Zsa Zsa
ou Jackie antes de pegarem seu amante de Harvard
ou a garota do ensino médio que
todos nós garotos seguíamos até em casa.

e a pureza que ajuda você a crer
em algo além da morte
é Sandy Hawley montando
cinco vencedores no Hollywood Park, cavalos fora de forma,
nenhum deles favorito,
ou alguém num carro que se aproxima de você
numa rua estreita demais,
e ele ou ela desvia de lado pra deixar você
passar, ou o velho lutador Beau Jack
engraxando sapatos
após ter torrado seu pé-de-meia todo
com festas
com mulheres

com parasitas,
cantarolando, soprando no couro,
mandando ver com o trapo,
olhando pra cima e dizendo:
"Que diabo, por um momento
eu tive tudo. uma coisa ganha da
outra".

por vezes me mostro muito amargo
mas o gosto tem sido com frequência
doce, é só que tive
medo de dizê-lo. é como
quando sua mulher diz
"fala que me ama"
e você não consegue dizer.

se você chegar a me ver sorrindo em
meu Fusca azul
cruzando um sinal amarelo
dirigindo direto rumo ao sol
sem óculos escuros
estarei apenas trancado na
tarde de uma
vida louca
pensando em trapezistas de circo
em anões com charutos enormes
num inverno russo no início dos anos 40
em Chopin com seu saco de terra polonesa
ou numa velha garçonete me trazendo uma xícara
extra de café e parecendo rir de mim
enquanto me serve.

do melhor de você
eu gosto mais do que você imagina.
os outros não contam
exceto que eles têm dedos e cabeças
e alguns deles olhos
e a maioria deles pernas
e todos eles
sonhos bons e ruins
e um caminho para seguir.

o equilíbrio está em toda parte e está funcionando
e as metralhadoras e as rãs
e as sebes podem lhe contar
isso.

quem diabos é Tom Jones?

fiquei dormindo
com uma garota de
24 anos de Nova York
por duas semanas,
mais ou menos pela época
da greve dos lixeiros
lá fora, e certa noite
essa mulher de 34 anos
apareceu e falou
"quero ver minha rival",
fez isso e então
disse: "ah, você é uma
coisinha querida!"
depois só sei que houve um
turbilhão de gatas selvagens –
festival de berros e unhadas,
gemidos de animal ferido,
sangue e mijo...

eu estava bêbado e só de
calção. tentei
separar as duas e caí,
torci meu joelho. então
elas atravessaram a

porta e desceram a entrada
e saíram pela rua.

viaturas cheias de policiais
chegaram. um helicóptero da polícia
circulou acima.

eu me parei no banheiro
e escancarei um sorriso no espelho.
não é frequente aos
55 anos de idade
que ocorra tão
esplêndida ação.
foi melhor do que os
distúrbios de Watts.

então a de 34 anos
entrou de volta. estava toda
mijada e sua
roupa estava rasgada e
vinha seguida por 2 policiais
que queriam saber
por quê.

erguendo meu calção
eu tentei explicar.

sentado numa lancheria na beira da estrada

minha filha é a coisa mais
gloriosa.
estamos comendo no meu
carro em Santa Monica.
eu digo: "Ei, menina,
minha vida tem sido
boa, tão boa".
ela olha pra mim.
baixo minha cabeça
me inclino sobre o volante,
então abro a porta num chute,
"Eu sou um GÊNIO!".
então vomito
de mentirinha.
ela ri, mordendo
seu sanduíche.
eu me endireito,
pego 4 batatas fritas,
coloco na minha boca,
mastigo.
são 5:30 da tarde
e os carros disparam pra lá
e pra cá passando
por nós.

dou uma olhada de canto.
ela sorri com todos os dentes
seus olhos brilham com
o que resta do
mundo.
temos toda a sorte
de que precisamos.

uma definição

o amor não passa de farol aceso à
noite cortando a névoa

o amor não passa de uma tampinha de cerveja
na qual você pisa a caminho
do banheiro

o amor é a chave perdida da sua porta
quando você está bêbado

o amor é o que acontece um dia por
ano
um ano a cada dez

o amor são os gatos esmagados
do universo

o amor é um jornaleiro na
esquina que
desistiu

o amor são as primeiras 3 filas de
potenciais matadores no
Olympic Auditorium

o amor é o que você acha que a outra
pessoa destruiu

o amor é o que desapareceu com a
era dos encouraçados de batalha

o amor é o telefone tocando
e a mesma voz ou outra
voz mas nunca a voz
certa

o amor é traição
o amor é o bebum
sendo queimado no beco

o amor é aço
o amor é a barata
o amor é uma caixa de correio

o amor é chuva batendo no telhado
do hotel mais barato
de Los Angeles

o amor é o seu pai que
detestava você dentro de um caixão

o amor é um cavalo com a
perna quebrada
tentando ficar de pé
enquanto 55.000 pessoas
observam

o amor é o nosso jeito de ferver
como a lagosta

o amor é um cigarro de filtro
preso na sua boca e
aceso pela ponta errada

o amor é tudo que dissemos
que não era

o amor é o Corcunda de
Notre Dame

o amor é a pulga que você não consegue
encontrar

o amor é o mosquito

o amor são 50 granadeiros

o amor é o mais vazio dos
urinóis

o amor é uma rebelião em Quentin
o amor é um manicômio lotado
o amor é um burro cagando numa
rua de moscas

o amor é um banco de bar quando
ninguém está sentado nele

o amor é um filme do Hindenburg
se desmanchando em pedaços
em tempos que ainda gritam

o amor é Dostoiévski na
roleta

o amor é o que rasteja
pelo chão

o amor é a sua mulher dançando
apertada nos braços de um estranho

o amor é uma mulher velha
beliscando um naco de pão

o amor é uma palavra usada
constantemente
muitíssimo constantemente

o amor são telhados vermelhos e telhados
verdes e telhados azuis
e voar em aviões a jato

isso é tudo.

um bilhete de aceitação

16 anos de idade
durante a Depressão
eu voltava pra casa bêbado
e todas as minhas roupas –
calções, camisas, meias,
maleta e páginas de
contos
estavam jogadas no
gramado da frente e pela
rua.

minha mãe me esperava
atrás de uma árvore:
"Henry, Henry, não
entre... ele vai
matar você, ele leu
as suas histórias..."

"eu posso arrebentar
o traseiro dele..."

"Henry, por favor pegue
isso... e
encontre um quarto pra você".

mas o preocupava
que eu não conseguisse
terminar o ensino médio
então eu voltava pra casa
outra vez.

certa noite ele entrou
com as páginas de
um dos meus contos
(que eu nunca tinha lhe
mostrado)
e disse: "este é
um grande conto!"
e eu falei "o.k.",
e ele o devolveu pra mim
e eu o li.
era uma história sobre
um homem rico
que brigara com
a esposa e tinha
saído pela noite
para tomar um café
e tinha notado
a garçonete e as colheres
e os garfos e os
saleiros e pimenteiros
e o letreiro de neon
na janela
e então tinha voltado
até seu estábulo
para ver e tocar seu

cavalo favorito
que então
lhe deu um coice na cabeça
e o matou.

de algum modo
a história fazia
sentido pra ele
se bem que
ao escrevê-la
nem me passara pela cabeça
sobre o que eu
estava escrevendo.

então eu lhe falei:
"o.k., velho, você pode
ficar com ele".

e ele o pegou
e saiu
e fechou a porta.
acho que isso foi
o mais perto
que já chegamos.

o fim de um breve caso

tentei fazer de pé
dessa vez.
geralmente não
funciona
dessa vez parecia
estar...

ela ficava dizendo
"ah, meu Deus, você tem
pernas lindas!"

tudo ia bem
até que ela tirou os pés do
chão e
enroscou as pernas
em volta da minha cintura.

"ah, meu Deus, você tem
pernas lindas!"

ela pesava uns 63
quilos e ficou ali pendurada enquanto eu
trabalhava.

foi quando cheguei ao clímax
que senti a dor
subir voando por minha
espinha.

larguei-a no
sofá e andei ao redor
da sala.
a dor continuava.

"olha só", eu lhe falei,
 "é melhor você ir. preciso
revelar um filme
na minha câmara escura."

ela se vestiu e foi embora
e eu fui até a
cozinha para tomar um copo
d'água. peguei um copo cheio
com a mão esquerda.
a dor subiu por trás das minhas
orelhas e
deixei cair o copo
que se quebrou no chão.

entrei numa banheira cheia de
água quente e sais de Epsom.
mal tinha acabado de me esticar
quando o telefone tocou.
tentei endireitar
minhas costas
a dor se estendeu por meu
pescoço e braços.
fiquei baqueando,
agarrei as bordas da banheira,
saí
com jatos luminosos verdes e amarelos

e vermelhos
turbilhonando na minha cabeça.

o telefone continuava tocando.
atendi.
"alô?"

"EU TE AMO!", ela disse.

"obrigado", eu disse.

"isso é tudo que você tem
pra dizer?"

"sim."

"vá à merda!", ela falou e
desligou.

o amor se esgota, pensei
enquanto voltava para o
banheiro, quase tão rápido quanto
esperma.

"NÃO ESTÁ FUNCIONANDO, ESTÁ?"

um para a dente-acavalado

conheço uma mulher
que fica comprando quebra-cabeças
quebra-cabeças
chineses
blocos
arames
peças que afinal se encaixam
numa espécie de ordem.
ela monta tudo
matematicamente
resolve todos os seus
quebra-cabeças
vive junto ao mar
deixa açúcar fora para as formigas
e acredita
fundamentalmente
num mundo melhor.
seu cabelo é branco
ela raras vezes o penteia
seus dentes são acavalados
e ela usa macacões frouxos e disformes
sobre um corpo que a maioria
das mulheres desejaria ter.
por vários anos ela me irritou

com aquilo que eu considerava como sendo
suas excentricidades –
tipo mergulhar cascas de ovo na água
(alimentando as plantas para que
absorvessem cálcio).
mas afinal quando penso em sua
vida
e a comparo com outras vidas
mais deslumbrantes, originais
e belas
percebo que ela machucou menos
gente do que qualquer pessoa que conheço
(e com machucar quero dizer simplesmente machucar).
ela teve alguns momentos terríveis,
momentos em que talvez eu devesse tê-la
ajudado mais
pois ela é a mãe da minha única
filha
e outrora fomos grandes amantes,
mas ela superou os obstáculos
como eu disse
ela machucou menos gente do que
qualquer pessoa que conheço,
e se você olhar por esse ângulo,
bem,
ela criou um mundo melhor.
ela venceu.

Frances, este poema é pra
você.

oração para uma puta sob mau tempo

por Deus, não sei o que
fazer.
elas são tão boas de se ter por perto.
elas têm um jeito de brincar com
as bolas
e olhar para o pau muito
seriamente
torcendo-o
puxando-o
examinando cada parte
enquanto seus longos cabelos caem sobre
a nossa barriga.

não é o foder e o chupar
apenas
o que alcança o íntimo do homem
e o suaviza,
são os extras,
são todos os extras.

está chovendo agora nesta noite
e não há ninguém por aqui.
estão em outros lugares
examinando coisas

em novos quartos
em novos humores
ou talvez em velhos
quartos.

de qualquer forma, está chovendo nesta noite,
um diabo de chuva grossa,
torrencial...
muito pouco a fazer.
já li o jornal
paguei a conta do gás
a cia. elétrica
a conta do telefone.

continua chovendo.

elas suavizam o sujeito
e então o deixam a nadar
em seu próprio suco.

preciso de uma puta à moda antiga
batendo à porta esta noite
fechando seu guarda-chuva verde,
gotas de chuva enluarada em sua
bolsa, dizendo "merda, cara,
você consegue achar música melhor
do que *essa* no seu rádio...
e aumente o aquecimento..."

é sempre quando um homem está
com tesão de amor e tudo
mais

que só continua chovendo
espirrante
vomitante
chuva
boa para as árvores e a
grama e o ar...
boa para coisas que conseguem
viver sozinhas.

eu daria qualquer coisa
pela mão de uma fêmea nas minhas bolas
esta noite.
elas pegam o cara de jeito e
depois o deixam escutando
a chuva.

FAZ QUATRO ANOS QUE NÃO PEGO UMA MULHER.

cometi um erro

me estiquei até o alto do armário
e puxei uma calcinha azul
e mostrei a ela e
perguntei "é sua?"

e ela olhou e falou:
"não, essa pertence a um cão".

ela foi embora depois disso e não a vi
desde então. não está na casa dela.
continuo indo lá, deixando bilhetes enfiados
por baixo da porta. volto lá e os bilhetes
continuam ali. tiro a cruz de Malta
arranco-a do espelho do meu carro, amarro-a
com um cadarço em sua maçaneta, deixo
um livro de poemas.
quando retorno na noite seguinte tudo
continua ali.

sigo rondando as ruas em busca daquele
encouraçado sangue-vinho que ela dirige
com uma bateria fraca, e as portas
pendendo de dobradiças quebradas.

dirijo pelas ruas
a um centímetro de chorar,
envergonhado de meu sentimentalismo e
possível amor.

um velho confuso dirigindo na chuva
perguntando-se onde a boa sorte
foi parar.

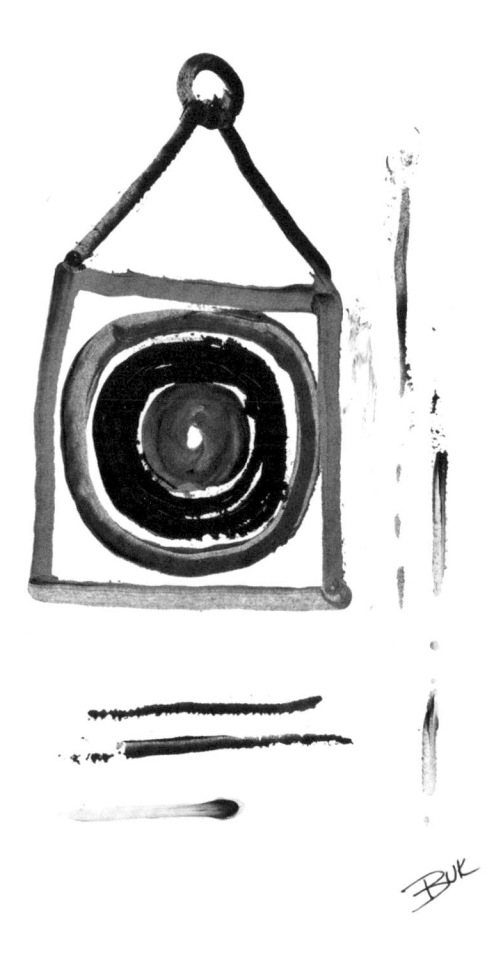

a deusa de um metro e oitenta (para S.D.)

sou grande
suponho que é por isso que minhas mulheres sempre parecem
pequenas
mas essa deusa de um metro e oitenta
que negocia imóveis
e arte
e voa do Texas
para me ver
e eu voo ao Texas
para vê-la –
bem, há nela uma abundância para
ser agarrada
e eu agarro tudo
dela,
puxo sua cabeça para trás pelos cabelos,
sou macho pra valer,
chupo seu lábio superior
sua boceta
sua alma
monto nela e lhe digo:
"vou jorrar suco branco quente
dentro de você. não voei até

Galveston pra jogar
xadrez".

depois deitamos entrelaçados como vinhas humanas
meu braço esquerdo sob seu travesseiro
meu braço direito sobre seu flanco
aperto suas duas mãos,
e meu peito
barriga
bolas
pau
emaranham-se nela
e através de nós no escuro
passam brancos raios berrantes
pra lá e pra cá
pra lá e pra cá
até que eu despenco
e nós dormimos.

ela é selvagem
mas gentil
minha deusa de um metro e oitenta
me faz rir
a risada do mutilado
que ainda precisa
de amor,
e seus olhos abençoados
brotam nas profundezas de sua cabeça
como nascentes interiores
no íntimo distante

e
frescas e boas.

ela me salvou
de tudo que
não está aqui.

COMECEI A SUGAR O AR DE SEUS PULMÕES

garotas quietas e limpas em vestidos de algodão

tudo que eu sempre conheci foram putas, ex-prostitutas,
loucas. vejo homens com mulheres quietas,
gentis – vejo-os nos supermercados,
vejo-os caminhando juntos pelas ruas,
vejo-os em seus apartamentos: pessoas em
paz, vivendo juntas. sei que sua
paz é apenas parcial, mas existe
paz, frequentes horas e dias de paz.

tudo que eu sempre conheci foram comedoras de
  comprimidos, alcoólatras,
putas, ex-prostitutas, loucas.

quando uma vai embora
chega outra
pior do que sua antecessora.

vejo tantos homens com garotas quietas e limpas em
vestidos de algodão
garotas com rostos que não são rapaces ou
predatórios.

"nunca traga uma puta com você," eu digo para meus
poucos amigos, "eu vou me apaixonar por ela."

"você não aguenta uma boa mulher, Bukowski."

preciso de uma boa mulher. preciso de uma boa mulher
mais do que preciso desta máquina de escrever, mais do que
preciso do meu automóvel, mais do que preciso
de Mozart; preciso tanto de uma boa mulher que
posso sentir seu gosto no ar, posso senti-la
na ponta dos meus dedos, posso ver calçadas construídas
para seus pés caminharem,
posso ver travesseiros para sua cabeça,
posso sentir minha expectante risada de tranquilo júbilo,
posso vê-la acariciando um gato,
posso vê-la dormindo,
posso ver seus chinelos no chão.

eu sei que ela existe
mas onde está ela neste planeta
enquanto as putas continuam me encontrando?

ACORDO BEM A TEMPO

nesta noite

"seus poemas sobre as garotas ainda estarão por aí
daqui a 50 anos quando as garotas já tiverem desaparecido",
meu editor me telefona.

caro editor:
parece que as garotas já
se foram.

entendo o que você quer dizer

mas me dê uma mulher verdadeiramente viva
nesta noite
atravessando o assoalho na minha direção

e você pode ficar com todos os poemas

os bons
os maus
ou qualquer outro que eu porventura escreva
depois deste.

entendo o que você quer dizer.

você entende o que eu quero dizer?

pacific telephone

fique com essas meretrizes, ela disse,
fique com essas putas,
eu vou entediar você.

não quero mais essa merda pra cima de mim,
eu disse,
relaxe.

quando bebo, ela disse, dá uma dor na minha
bexiga, uma ardência.

deixe a bebida comigo, eu disse.

você está esperando o telefone tocar,
ela disse,
você só fica olhando pro telefone.
se uma dessas meretrizes ligar você
vai sair correndo daqui na hora.

não posso lhe prometer nada, eu disse.

então – simples assim – o telefone tocou.

aqui é a Madge, disse o telefone. preciso
ver você o quanto antes.

ah, eu disse.

estou num aperto, ela continuou, preciso de dez
pratas – depressa.

logo chego aí, eu disse, e
desliguei.

ela olhou pra mim. era uma meretriz,
ela disse, seu rosto se iluminou todo.
que diabos há com
você?

ouça, eu disse, eu preciso ir.
você fica aqui. logo volto.

vou embora, ela disse. eu te amo mas você é
louco, você está condenado.

ela pegou a bolsa e bateu a porta.

deve ser algum trauma de infância profundamente enraizado
que me faz vulnerável, pensei.

então saí de casa e entrei no meu Fusca.
dirigi para o norte pela Western com o rádio ligado.
havia putas caminhando pra lá e pra cá
dos dois lados da rua e Madge parecia
mais depravada do que qualquer uma delas.

corcunda

momentos de danação e momentos de glória
tamborilam ao longo do meu telhado.

o gato passa por mim
parecendo saber tudo.

minha sorte tem sido melhor, creio,
do que a sorte do gladíolo,
se bem que não tenho certeza.

fui amado por muitas mulheres,
e, para um corcunda da vida,
isso é uma sorte.

tantos dedos por entre meus cabelos
tantas mãos agarrando as minhas bolas
tantos sapatos tombados de lado pelo tapete do meu
quarto.

tantos olhos observando
endentados num crânio que vai carregar todos esses
olhos rumo à morte,
recordando.

fui tratado melhor do que eu
merecia –
não pela vida em geral
ou pela maquinaria das coisas
mas pelas mulheres.

e o outro
(pelas mulheres): eu
parado no quarto sozinho
dobrado
mãos segurando a pança –
pensando
por que por que por que por que por que por quê?

mulheres caídas por homens como porcos
mulheres caídas por homens com mãos como galhos secos
mulheres caídas por homens que trepam mal
mulheres caídas por coisas de homens
mulheres caídas
caídas
porque elas precisam cair
na ordem das
coisas.

as mulheres sabem
mas com mais frequência decidem fugir da
desordem e da confusão.

elas podem matar o que tocam.
estou morrendo
mas não estou morto.

sereia

eu precisava entrar no banheiro pra pegar algo
e bati
e você estava na banheira
você tinha lavado seu rosto e seu cabelo
e eu vi a parte de cima do seu corpo
e exceto pelos seios
você parecia uma menina de 5, de 8 anos
você estava delicadamente alegre na água
Linda Lee.
você era não apenas a essência daquele
momento
e sim de todos os meus momentos
até ali
você tomando banho tranquilamente no marfim
mas não havia nada
que eu pudesse lhe falar.

peguei o que eu queria no banheiro
algo
e saí.

sim

não importa com quem eu esteja
as pessoas sempre dizem:
você ainda está com ela?

meus relacionamentos duram em média
dois anos e meio.
com guerras
inflação
desemprego
alcoolismo
jogatina
e o meu próprio nervosismo degenerado
acho que me saio bem o bastante.

gosto de ler os jornais dominicais na cama.
gosto de fitas cor de laranja amarradas em volta do pescoço do
 gato.
gosto de dormir apertado contra um corpo que conheço bem.

gosto de papeletas pretas no pé da minha cama
às 2 da tarde.
gosto de ver como ficaram as fotos.

gosto que me ajudem a suportar os feriados:
Independência, Dia do Trabalho, Halloween, Ação de Graças,
Natal, Ano-Novo.

elas sabem como remar por essas correntezas
e têm menos medo do amor do que eu.

conseguem me fazer rir onde comediantes profissionais
fracassam.

há a caminhada na rua para comprar um jornal juntos.

há muita coisa boa em estar sozinho
mas há um estranho calor em não estar sozinho.

gosto de batatas vermelhas cozidas.
gosto de olhos e dedos melhores que os meus que consigam
tirar nós de cadarços.

gosto de deixá-la dirigir o carro em noites escuras
quando a estrada e o caminho me deram nos nervos,
o rádio do carro ligado
nós acendemos cigarros e conversamos sobre coisas
e de vez em quando
ficamos em silêncio.

eu gosto de grampos de cabelo em cima de mesas.
eu gosto de conhecer as mesmas paredes
as mesmas pessoas.

não gosto das brigas insanas e inúteis que sempre
ocorrem
e não gosto de mim nessas ocasiões
não dando nada
não entendendo nada.

gosto de aspargos cozidos
gosto de rabanetes
gosto de cebolas.
gosto de levar meu carro num lava-jato.
gosto quando tenho vitória de dez em aposta de seis
por um.
gosto do meu rádio que fica tocando
Shostakovich, Brahms, Beethoven, Mahler.

gosto quando há uma batida na porta e
é ela.

não importa com quem eu esteja
as pessoas sempre dizem:
você ainda está com ela?

devem pensar que eu as enterro
em Hollywood Hills.

rua 2, perto de Hollister, em Santa Monica

minha filha tem 13 anos de idade
e uma tarde dessas
dirigi até sua quadra para almoçarmos
juntos
e havia uma linda mulher
sentada na varanda
e pensei, bem, ela vai
se levantar e dizer para Marina que
eu estou aqui.
e a linda mulher se ergueu
e caminhou na minha direção.
era a minha filha.
ela disse: "Oi!"
eu respondi como se tudo fosse
corriqueiro e nós saímos
juntos.

a sova do consolo

numa semana eu tive 6 mulheres diferentes
em 6 camas diferentes
(tirei uma quinta-feira de folga
para descansar)
e só falhei
sexualmente
uma noite,
a última noite da semana:
aconteceu quando eu estava em ação.
ela levou para o lado pessoal.

agora fiquei com uma só mulher
e eu não a traio.
quando você constata que pode se foder
facilmente
você constata que não precisa sair
por aí
simplesmente fodendo mulheres
e usando seus banheiros e seus
chuveiros e suas toalhas
e suas entranhas,
seus pensamentos, seus
sentimentos.

agora tenho um belo jardim lá fora.
ela o plantou.
eu o rego diariamente.
vasos de plantas pendem de cordas.
estou em paz.
ela fica aqui 3 dias por semana
então volta para sua casa.

o carteiro me pergunta: "ei, o que
aconteceu com todas as suas mulheres? você
costumava ter umas duas delas
sentadas na sua varanda quando eu passava
por aqui..."

"Sam", eu lhe digo, "eu estava começando
a me sentir como um consolo..."

o cara da entrega de bebidas aparece:
"ei, cara! onde foi parar a *mulherada* toda?
você está sozinho nesta noite..."

"mais bebida pra mim,
Ernie..."

fodi a cidade, bebi a
metrópole, trepei com o país,
mijei no universo.
resta pouco a fazer exceto
firmar posição e relaxar.

tenho um belo jardim.
tenho uma mulher adorável.

já não me sinto como um
consolo.
eu me sinto como um homem.

a sensação é bem
melhor, é
mesmo. não se preocupem
comigo.

um lugar pra relaxar

ser um jovem tolo e pobre e feio
não dá um aspecto muito bom às paredes.
tantos fins de tarde, examinando as paredes
sem nada pra beber
nada pra fumar
nada pra comer
(nós bebíamos meus contracheques depressa).
ela sempre sabia o momento de ir embora.
ela me fez passar por sua faculdade –
ela me deu meu mestrado e meu doutorado,
e ela sempre voltava,
ela queria um lugar pra relaxar
um lugar pra pendurar suas roupas.
ela afirmava que eu era muito engraçado,
que eu a fazia rir
mas eu não estava tentando ser
engraçado.
ela tinha pernas lindas e era
inteligente mas simplesmente não se importava,
e toda a minha fúria e todo o meu humor e
toda a minha loucura eram mero entretenimento
para ela: eu estava atuando pra ela
como uma espécie de marionete numa espécie de inferno de
    mim mesmo.
algumas vezes quando ela ia embora eu tinha suficiente
vinho barato e suficientes cigarros
para ouvir o rádio e olhar as

paredes e ficar bêbado em grau suficiente para escapar
dela.
mas ela sempre voltava para me testar
mais uma vez.
eu me lembro dela em especial.
outras mulheres melhores fizeram com que eu me sentisse tão
mal
quanto naqueles fins de tarde
dando aquela caminhada de três quilômetros do trabalho para casa
dobrando no beco
olhando a janela no alto
e encontrando a cortina fechada.
ela me ensinou a agonia dos amaldiçoados
e dos inúteis.
todo mundo quer tempo bom, sorte boa, sonhos
bons.
para mim era um palpite arriscado numa pista comprida,
fazia frio e a impossível aposta não deu
em nada.
eu a enterrei cinco anos depois de a ter conhecido,
raramente a tendo visto nos últimos três.
só havia quatro pessoas diante da sepultura:
o padre
a senhoria dela
o filho dela e eu.
isso não importava:
todas aquelas caminhadas pelo beco
na esperança de uma luz por trás da cortina.
todas aquelas dúzias de homens que a tinham fodido
não estavam lá
e um dos homens que a tinham amado
estava: "Meu louco garoto do almoxarifado da
loja de departamentos", ela me chamava.

morde morde

    ah, as mulheres sabem ser mordazes
    enfiando as mãos na pia
    puxando lençóis
    esburacando a terra com suas espátulas
    perto do canteiro de rabanetes
    sentadas no carro com você
    enquanto você vai dirigindo.

    ah, as mulheres sabem ser mordazes
    discutindo
    Deus e os filmes
    música e obras de arte
    ou o que fazer quanto à infecção
    do gato.
    a mordacidade se espalha por
    todas as áreas da conversação
    o tom de voz permanece no
    alto trinado.

    o que aconteceu com as noites
    junto ao fogo
    quando elas eram só doçura
    de tornozelo e joelho

puras de olho
cabelos compridos penteados?

claro, nós sabíamos que aquilo não era
real
mas a mordacidade é.
o amor também é
mas está emperrado em algum lugar
entre a macieira silvestre
e o esgoto.

o juiz está adormecido em seu
gabinete e
ninguém é culpado.

para a pequena

ela está no andar de baixo cantando, tocando seu
violão, acho que ela está mais feliz do que
de costume e eu fico contente. às vezes minha
mente adoece e sou cruel com ela.
ela pesa quarenta e cinco
quilos
tem pulsos finos e
seus olhos
se mostram com frequência puramente tristes.

às vezes minhas necessidades
me tornam egoísta
uma contracorrente afeta meu
cérebro
e nunca fui
bom
em pedir desculpas.

eu a escuto cantando
agora é
bem tarde da noite
e daqui
consigo ver as
luzes da cidade

e elas são tão doces como
maduras frutas de quintal
e este quarto está
calmo
tão estranho
como se a magia tivesse
virado algo normal.

alô, Barbara

25 anos atrás
em Las Vegas
eu me casei
pela única vez.

ficamos lá por
somente uma hora.
dirigi o caminho todo
de ida e o caminho
todo de volta
para L.A.

e mesmo assim
não me senti
casado e
continuei
me sentindo assim
por dois anos
e meio até que
ela se divorciou
de mim.

então conheci

uma mulher
que tinha formigas
de estimação e
as alimentava
com açúcar.
eu a
engravidei.

depois disso
houve
várias outras
mulheres.
mas
outro dia
um sujeito
que andou examinando
meu passado
disse: "eu
tenho o
número do telefone
da sua
ex-mulher".

eu o coloquei
na gaveta
da minha cômoda.

então me
embebedei certa
noite

tirei o
número da gaveta
e
liguei para ela.

"ei, bebê,
sou eu!"

"eu sei que é
você", ela disse
com aquela mesma
voz gélida.

"como cê
tá?"

"estou bem",
ela respondeu.

"você ainda tá
morando naquela
granja?"

"sim", ela
disse.

"bem, eu estou
bêbado.
só me deu vontade
de lhe fazer
uma breve
ligação."

"então você está
bêbado de novo",
ela disse com
aquela mesma
voz gélida.

"sim. bem,
tá certo,
vou dar
tchau agora..."

"tchau", ela
falou e
desligou.

eu fui
me servir um
novo drinque.
depois de 25 anos
ela ainda
me odiava.

eu não achava
que eu era tão
ruim.

claro,
caras como eu
quase nunca
acham.

Carson McCullers

ela morreu de alcoolismo
enrolada no cobertor
de uma espreguiçadeira
num vapor
transoceânico

todos os seus livros de
aterrorizada solidão

todos os seus livros sobre
a crueldade
do amante sem amor

foram tudo que restou
dela

enquanto o excursionista passeador
encontrava seu corpo

avisava o capitão

e ela era despachada
para outro setor
do navio

enquanto tudo mais
continuava
como
ela tinha escrito.

Jane e Droll

estávamos num barraco apertado na
região central de L.A.

havia uma mulher na cama
comigo

e havia um enorme
cão
ao pé da cama

e enquanto os dois dormiam
fiquei escutando suas
respirações

e pensei: eles dependem
de mim.
absurdamente curioso.

esse pensamento continuou comigo
pela manhã
depois do nosso café
dando a ré com o carro
na saída da garagem

a mulher e o cão
no degrau da frente
sentados e me
observando

enquanto eu ria e acenava
e ela sorria e
acenava

e o cão olhava
enquanto eu recuava até a
rua e desaparecia
cidade adentro.

agora nesta noite
ainda penso neles
sentados naquele
degrau da frente

é como um filme
antigo – de 35 anos
atrás – que ninguém jamais
viu ou entendeu
exceto eu

e muito embora os
críticos possam rotulá-lo de
ordinário

eu gosto dele
bastante.

a gente se dá bem

as diversas mulheres com as quais vivi frequentaram
shows de rock, festivais de reggae, celebrações do amor,
 passeatas
pela paz, filmes, vendas de garagem, feiras, protestos,
casamentos, enterros, leituras de poesia, aulas de espanhol,
spas, festas, bares e assim por diante
e eu vivi com essa
máquina.

enquanto as mulheres cuidavam de seus compromissos,
 salvavam as baleias,
as focas, os golfinhos, o tubarão-branco,
enquanto as mulheres conversavam ao telefone
essa máquina e eu vivíamos
juntos.

como vivemos juntos hoje: essa máquina, os 3
gatos, o rádio e o vinho.

depois da minha morte as mulheres vão dizer (se lhes
 perguntarem): "ele
gostava de dormir, de beber; ele nunca queria ir a
lugar algum... bem, o hipódromo, aquele lugar
idiota!"

as mulheres que conheci e com as quais vivi socializavam
muito, pulando dentro do carro, acenando, saindo
por aí como se algum tesouro de grande importância
estivesse à espera delas...

"é uma banda punk nova, eles são ótimos!"
"a leitura de Allen Ginsberg!"
"estou atrasada pra minha aula de dança!"
"vou jogar palavras cruzadas com a Rita!"
"é uma festa surpresa pro aniversário da Fran!"

eu tenho essa máquina.
essa máquina e eu vivemos juntos.

Olympia, esse é o nome dela.
uma boa garota.

quase sempre
fiel.

até que foi bom

ela é agora uma boa e velha garota.
ela ficou gorda e grisalha.

fomos amantes muitos anos
atrás,
houve uma criança,
há uma criança,
hoje uma mulher.

essa mulher me deu
uma fita
com sua mãe
falando sobre poesia
e sua vida e
lendo seus
poemas.

uma fita com uma hora de gravação.

ouvi a fita.
infelizmente
a poesia não era
muito boa
mas quase toda poesia
não é.

ela seguia falando
sobre
oficinas de poesia,
diversas influências –
família, amigos, seu
marido (não
era eu), que não
parecia gostar do fato de
ela escrever poesia.

ela mantinha um caderninho
perto da cama
e outro em sua
bolsa.

falava sobre
isso e aquilo.

fiquei feliz por ela
que tenham lhe dado espaço
numa rádio
por uma hora.
eu já tinha ouvido coisas piores
de professores que
haviam assumido
a literatura
como ofício.

e conforme fui escutando
sua voz
era a
mesma voz

que eu escutara
20 anos atrás

quando apareci
na casa dela
na Vermont Avenue
e a encontrei
alimentando formigas
com açúcar
em seu quarto
e havia
várias formigas
lá
mas ela tinha
um corpo fantástico
na época
e eu estava
duro que nem
o diabo.

foi uma
boa hora,
Fran.

minhas paredes do amor

em noites como esta, recupero o que
posso.
a vida é dura, a escrita é livre.

se as mulheres pudessem ser tão fáceis
mas elas eram sempre quase a mesma coisa:
gostavam da minha escrita em formato de livro
finalizado
mas havia sempre algo em relação ao efetivo
ato de *datilografar*
de trabalhar em direção ao novo
que as incomodava...

eu não estava competindo com elas
mas elas se mostravam competitivas comigo
em formas e estilos que eu não considerava
nem originais nem criativos
se bem que para mim
eram sem dúvida
assombrosos o bastante.

agora estão libertadas
consigo mesmas e com os outros

e têm novos problemas
de outra maneira.

todas aquelas gracinhas:
fico contente por estar com elas em espírito
e não em carne

pois agora posso martelar a porra desta máquina
sem preocupação.

eulogia para uma dama e tanto

certos cães que dormem à noite
devem sonhar com ossos
e eu me lembro dos seus ossos
na carne
e melhor
naquele vestido verde-escuro
e naqueles brilhantes sapatos pretos
de salto alto,
você sempre praguejava quando
bebia,
seu cabelo desabando, você
queria explodir para fugir
daquilo que a detinha:
memórias podres de um
passado
podre, e
você afinal
escapou
morrendo,
deixando-me com o
presente
podre;
você está morta
faz 28 anos
mas ainda me lembro de você

melhor do que de qualquer uma
delas;
você foi a única
que compreendeu
a futilidade do
arranjo da
vida;
todas as outras ficavam
desgostosas com
segmentos triviais,
queixavam-se
absurdamente sobre
absurdos;
Jane, você foi
morta por
saber demais.
eis um brinde
para seus ossos
com os quais
este cão
ainda
sonha.

amor

já vi velhos casais
sentados em cadeiras de balanço
um diante do outro
sendo felicitados e celebrados
por estarem juntos há 50 ou 60
anos
que muito
tempo atrás teriam
aceitado qualquer outra
coisa
mas o destino
o medo e as
circunstâncias
os amarraram,
e quando lhes falamos
como são maravilhosos
em seu grandioso e duradouro
amor
só eles
realmente sabem
mas não podem nos dizer
que desde o momento em que
se conheceram
em diante

não significou
tanto assim
como
esperar pela morte
agora.
é mais ou menos o
mesmo.

eulogia

com carros velhos, sobretudo quando você os compra
usados e os dirige por muitos anos,
um caso de amor tem início:
você memorizou cada cabo no motor
painel e tudo mais,
você tem a máxima intimidade com o
carburador
as velas
o braço de aceleração
outras peças
diversas.
você aprendeu todos os truques para
manter o negócio em funcionamento,
você sabe até mesmo como bater o porta-luvas de modo que
ele permaneça fechado,
como estapear os faróis com a palma da mão aberta
a fim de obter
luz,
e você sabe quantas vezes deve pisar no acelerador
e quanto tempo deve esperar
para dar partida no motor,
e você conhece cada buraco no
estofamento
e o formato de cada mola

despontando pra fora;
o carro já foi apreendido e liberado
pela polícia,
foi multado por várias
avarias:
limpadores quebrados na chuva,
nada de pisca-pisca à noite, nada
de luzes de freio, luzes traseiras quebradas, freios
ruins, escapamento
excessivo e assim por diante...
mas apesar de tudo isso
você o conhecia tão bem
que nunca houve um acidente, o
velho carro transportava você de um lugar para
outro,
quase fielmente
– milagre de homem pobre.
e quando chega aquele *último* colapso,
quando as válvulas entregam os pontos,
quando os cansados braços do pistão se esgotam e
quebram, ou o eixo de manivela cai fora e
você precisa vender o carro como
sucata
– vê-lo sendo guinchado
embora
pendurado ali
despachado
como se ele não tivesse
alma ou
significado,

os pneus traseiros carecas
e o para-brisa traseiro
a placa retorcida
são as últimas coisas que você
vê, e isso
machuca
como se algum humano que você amou
muito
e com quem viveu
dia após dia
tivesse morrido
e você fosse a única
pessoa
a ter conhecido
a música
a mágica
a inacreditável
galantaria.

40 anos atrás naquele quarto de hotel

na Union Avenue, 3 da manhã, Jane e eu estávamos
bebendo vinho barato desde o meio-dia e eu andava de pés
   descalços
pelos tapetes, recolhendo cacos de vidro
(à luz do dia você conseguia vê-los embaixo da pele,
protuberâncias azuis abrindo caminho rumo ao coração) e eu
   andava usando
meus calções rasgados, colhões feiosos balançando pra fora,
   minha retorcida e
rasgada camisa de baixo pontilhada por buracos de cigarro de
   diversos
tamanhos. parei diante de Jane, que estava sentada em sua
   cadeira
bêbada.
então gritei para ela:
"SOU UM GÊNIO E NINGUÉM SABE DISSO FORA
EU!"

ela sacudiu a cabeça, riu com escárnio e balbuciou por entre os
lábios:
"caralho! você é um idiota
de merda!"

eu andei à espreita pelo piso, dessa vez recolhendo um
fragmento de vidro bem maior do que o normal, e estiquei a mão
e o arranquei: um adorável e grande naco em forma de lança,
   pingando
com o meu sangue, eu o arremessei no espaço, me virei e fuzilei Jane
com os olhos:

"você não sabe nada, sua
puta!"

"VÁ SE FODER!", ela
gritou.

então o telefone tocou e eu atendi e
gritei: "SOU UM GÊNIO E NINGUÉM SABE DISSO FORA
EU!"

era o recepcionista: "Sr. Chinaski, eu lhe adverti
diversas vezes, o senhor não está deixando nossos
hóspedes dormirem..."

"HÓSPEDES?", eu ri, "VOCÊ QUER DIZER ESSES BEBUNS
DE MERDA?"

então Jane apareceu e agarrou o telefone e
gritou: "EU SOU UM MALDITO GÊNIO TAMBÉM E SOU A
ÚNICA PUTA QUE SABE DISSO!"

e ela desligou.

então fui até a porta e
prendi a corrente.
então Jane e eu empurramos o sofá na
frente da porta
desligamos as luzes
e ficamos sentados na cama
esperando por eles,
tínhamos pleno conhecimento da

localização da cadeia
de bebuns: North Avenue
21 – um endereço que soava tão
pomposo.

nós tínhamos, cada um, uma cadeira ao
lado da cama,
e cada cadeira continha cinzeiro,
cigarros e
vinho.

eles vieram com muito
ruído:
"esta é a porta
certa?"
"é", ele disse,
"413".

um deles bateu com
a ponta de seu
cassetete:
"DEPARTAMENTO DE POLÍCIA DE L.A.!
ABRAM AÍ!"

nós não
abrimos aí.

então ambos bateram com
seus cassetetes:
"ABRAM! ABRAM
AÍ!"

agora todos os hóspedes estavam
acordados com certeza.

"vamos lá, abram", um deles
falou com mais calma, "nós só queremos
conversar um pouco, nada mais..."

"nada mais", disse o outro,
"a gente pode até tomar uma bebidinha
com vocês..."

30-40 anos atrás
North Avenue 21 era um lugar terrível,
40 ou 50 homens dormiam no mesmo piso
e havia um banheiro no qual ninguém ousava
excretar.

"sabemos que vocês são gente boa, nós só
queremos conhecer vocês...",
um deles disse.

"é", disse o outro.

então os ouvimos
sussurrando.
não os ouvimos indo
embora.
não tínhamos certeza quanto à
partida dos dois.

"puta que o pariu", Jane perguntou,
"você acha que eles
foram embora?"

"shhhh...",
eu chiei.

ficamos ali sentados no escuro
bebericando nosso
vinho.
não havia nada a fazer
exceto observar dois letreiros de neon
através da janela ao
leste
um ficava perto da biblioteca
e dizia
em vermelho:
JESUS SALVA.
o outro letreiro era mais
interessante:
era um enorme pássaro vermelho
que batia suas asas
sete vezes
e então um letreiro se acendia
abaixo
anunciando
SIGNAL GASOLINE.

era uma vida tão boa
quanto conseguíamos
bancar.

um mágico desaparecido

eles vão um por um e conforme vão indo isso chega mais perto de mim e
não me importo muito, é
só que não consigo ser prático quanto à
matemática que leva outros
ao ponto de fuga.

sábado passado
um dos maiores ases da corrida de arreios
morreu – o pequeno Joe O'Brien.
eu o vira ganhar inúmeras
corridas. ele
tinha um peculiar movimento balanceado
ele estalava as rédeas
e balançava o corpo pra trás e
pra frente. ele
aplicava esse movimento
durante a reta final e
era algo bastante dramático e
efetivo...

ele era tão pequeno que não conseguia
golpear o chicote com a mesma força dos
outros

então
ele balançava e balançava
na charrete
e o cavalo sentia o relâmpago
de sua excitação
aquele balanço ritmado e louco era
transferido do homem para o
animal...
o negócio todo dava a sensação de um
jogador de dados invocando os
deuses, e os deuses
respondiam com tamanha frequência...

eu vi Joe O'Brien vencer
incontáveis fotos de linha de chegada
várias por um
nariz.
ele pegava um cavalo
que outro condutor não conseguia
fazer correr
e Joe lhe dava seu
toque
e o animal quase
sempre respondia com
uma enxurrada de energia selvagem.
Joe O'Brien era o melhor corredor de arreios
que eu já tinha visto
e eu tinha visto vários ao longo das
décadas.
ninguém conseguia mimar e adular
um trotador ou marchador

como o pequeno Joe
ninguém conseguia fazer a magia funcionar
como Joe.

eles vão um por um
presidentes
lixeiros
assassinos
atores
batedores de carteiras
pugilistas
pistoleiros
bailarinos
pescadores
médicos
fritadores
bem
assim

mas Joe O'Brien
vai ser difícil
difícil
encontrar um substituto para
o pequeno Joe

e
na cerimônia
realizada para ele
na pista esta noite
(Los Alamitos 10-1-84)
enquanto os condutores se reuniam num

círculo
em seus uniformes
na linha de chegada
eu precisei dar minhas costas
à multidão
e subir os degraus da
arquibancada superior
rumo ao muro
para que as pessoas não
me vissem
chorar.

nenhuma sorte nisso

há um lugar no coração que
nunca será preenchido

um espaço

e mesmo durante os
melhores momentos
e
as maiores
épocas

nós saberemos disso

nós saberemos disso
mais do que
nunca

há um lugar no coração que
nunca será preenchido

e

nós vamos esperar
e
esperar

nesse
espaço.

poema de amor para uma stripper

50 anos atrás eu observava as garotas
rebolando e fazendo striptease
no Burbank e no Follies
e era muito triste
e muito dramático
e a luz mudava de verde para
roxo para rosa
e a música era alta e
vibrante,
agora sento aqui esta noite
fumando e bebendo
ouvindo música
clássica
mas ainda me lembro de alguns de
seus nomes: Darlene, Candy, Jeanette
e Rosalie.
Rosalie era a
melhor, sabia como fazer,
e nós girávamos em nossos assentos e
fazíamos barulhos
e Rosalie dava magia
para os solitários
tanto tempo atrás.

agora, Rosalie,
ou tão absolutamente velha ou

tão tranquila embaixo da
terra,
este é o garoto
com o rosto cheio de espinhas
que mentiu sobre sua
idade
apenas para ver
você.

você era boa, Rosalie,
em 1935,
boa o bastante para lembrar
agora
quando a luz é
amarela
e as noites são
lentas.

amor esmagado como mosca morta

em muitos sentidos
eu tinha topado com uma época de sorte
mas ainda estava vivendo nesta
quadra devastada por bomba da
avenida.

eu batalhara meu caminho atravessando
várias camadas de
adversidade:

sendo um homem sem educação
com
sonhos loucos e desvairados –
alguns deles haviam
evoluído (quer dizer, se
você vai ficar aqui,
você pode muito bem lutar
pelo milagre).

mas
de uma hora pra outra
como acontece nesses assuntos –
a mulher que eu amava
se largou

e começou a
trepar
pelos arredores
com
estranhos
imbecis
e provavelmente alguns tipos razoavelmente
bons

mas
como acontece nesses assuntos –
foi sem
aviso
e acompanhado da
lastimável e maçante languidez da
descrença
e
daquele doloroso e descerebrado
engalfinhamento.

e também
na mudança das
marés
eu me saí
com um furúnculo imenso
quase
do tamanho de uma maçã, bem, meia
maçã pequena
mas mesmo assim
uma monstruosidade de
horror.

tirei o telefone
da parede
tranquei a porta
fechei as cortinas e
bebi
só pra passar o tempo
dia e noite, fiquei
louco, provavelmente,
mas
num sentido
delicioso e
estranho.

encontrei um disco antigo
botei pra tocar
repetidas vezes –
com certo trecho ribombante da
tonalidade
se encaixando perfeitamente na minha
gaiola
meu lugar
meu
desencanto –
amor morto como uma mosca
esmagada,
eu remexia o passado e
especulava por entre minha
idiotice, constatando que enquanto
ser
eu poderia ter sido
melhor –

não com ela
mas com
o balconista da mercearia
o jornaleiro da esquina
o gato de rua
o bartender
e/ou
etc.

continuamos ficando
aquém e
mais aquém
mas
em última análise
não somos tão terríveis
assim, então
arranjamos uma namorada que
sai trepando
pelos arredores
e
um furúnculo quase com tamanho de
maçã.

recordando então
as chances
recusadas,
algumas de criaturas
adoráveis (naquele
momento)
não muitas
mas algumas

trepadas
recusadas
em honra
dela.

ah, redenção e
remorso!

e a garrafa
e o disco
tocando repetidas
vezes –

babaca, babaca, ba-
baca, seja duro como o
mundo,
prepare-se para
a desintegração –

que disco era aquele
enquanto você esbarrava na cerveja e
nas garrafas de uísque
os calções
as camisas
as memórias
estupeficadas pelo
quarto.

você despertou daquilo
duas semanas depois
para encontrá-la

na soleira da sua porta
às 9 horas
da manhã

cabelo cuidadosamente
arrumado,
sorrindo
como se todos os acontecimentos
tivessem sido
apagados.

ela era só
uma vadia
burra
jogadora

tendo experimentado os
outros e
os considerado (de
uma forma ou de
outra)
insuficientes

ela estava
de volta (ela
pensava)
enquanto você lhe servia uma
cerveja e
entornava o scotch
no seu copo
anterior

recordando
precisamente e para sempre
os sons daquele disco
escutado sem
parar:

a dádiva dela
terminara, novos
fracassos estavam prestes a
começar

enquanto ela cruzava suas longas
pernas
fazia aquele sorriso
sorrir
e perguntava,
alegre, "bem, o que você
andou
fazendo?"

sapatos

quando você é jovem
um par de
sapatos de salto alto
femininos
simplesmente parados
sozinhos
no armário
podem incendiar os seus
ossos;
quando você é velho
é só
um par de sapatos
sem
ninguém
dentro
e
dá no
mesmo.

cortina baixada

o que eu gosto em você
ela me contou
é que você é cru –
veja só você sentado aí
uma lata de cerveja na sua mão
e um charuto na sua boca
e veja
sua barriga peluda e suja
saindo pra fora
por baixo da camisa.
você tirou os sapatos
e tem um buraco
na sua meia direita
com o dedão
saindo pra fora.
você não faz a barba há
4 ou 5 dias.
seus dentes são amarelos
e as suas sobrancelhas
despencam
totalmente retorcidas
e você tem cicatrizes
suficientes
para deixar qualquer um
cagado de medo.

há sempre
um anel
na sua banheira
seu telefone
está coberto de
gordura
e
metade do lixo na
sua geladeira está
podre.
você nunca
lava o seu carro.
você tem jornais
de uma semana atrás
no chão.
você lê revistas
de sacanagem
e você não tem
tv
mas você pede
entregas da
loja de bebidas
e dá boas
gorjetas.
e o melhor de tudo
você não força
uma mulher a
ir pra cama
com você.
você mal parece
interessado
e quando falo com você

você não
diz nada
você só
olha em volta
pela sala ou
coça o seu
pescoço
como se não
me ouvisse.
você tem uma toalha
velha e molhada
na pia
e uma foto
de Mussolini
na parede
e você nunca
reclama
de nada
e você nunca
faz perguntas
e eu
conheço você há
6 meses
mas não faço
a menor ideia
de quem você é.
você é como
uma espécie de
cortina baixada
mas é disso
que eu gosto
em você:

sua crueza:
uma mulher pode
cair
fora da sua
vida e
esquecer você
bem depressa.
uma mulher
não pode ir a lugar algum
a não ser UM LUGAR MELHOR
depois de deixar você,
querido.
você só pode
ser
a melhor coisa
que jamais
aconteceu
a
uma garota
que está entre
um cara
e o seguinte
e não tem nada
pra fazer
no momento.
a porra deste
scotch é
uma maravilha.
vamos jogar
palavras cruzadas.

Trólios e treliças

claro, eu posso morrer nos próximos dez minutos
e estou pronto para isso
mas o que realmente me preocupa é
que meu editor-publisher talvez se aposente
muito embora ele seja dez anos mais novo do que
eu.
foi apenas 25 anos atrás (eu estava com a *madura*
idade avançada de 45)
que nós iniciamos nossa aliança profana para
testar as águas literárias,
nenhum dos dois sendo muito
conhecido.

acho que tivemos alguma sorte e ainda temos algo
do mesmo
mas
são bem razoáveis as chances
de que ele acabe optando por cálidas e aprazíveis
tardes
no jardim
muito antes de mim.

escrever é uma intoxicação em si
enquanto publicar e editar,

tentar cobrar contas
carrega seu próprio
atrito
que também inclui lidar com as
triviais frescuras e demandas
de vários
assim chamados gênios queridinhos que não
o são.

não vou culpá-lo por cair
fora
e espero que ele me mande fotos de sua
Rose Lane, sua
Gardenia Avenue.

será que terei de procurar outros
promulgadores?
aquele sujeito com o chapéu de pele
russo?
ou aquela peste do leste
com todos aqueles pelos
em seus ouvidos, com aqueles lábios
úmidos e gordurosos?

ou será que meu editor-publisher
tendo se retirado para o mundo de Trólios e
treliças
vai repassar a
maquinaria
de seu antigo ofício para um
primo, uma

filha ou
certo poundiano de Big
Sur?
ou será que ele vai simplesmente transmitir o legado
para o
Despachante
que vai se erguer como
Lázaro,
manejando recém-descoberta
importância?

podemos imaginar coisas
terríveis:
"Sr. Chinaski, todas as suas produções
deverão ser agora entregues em
formato rondó
e
datilografadas
com espaço triplo em papel
de arroz".

o poder corrompe,
a vida aborta
e tudo que
nos resta
é um
monte de
verrugas.

"não, não, Sr. Chinaski:
formato *rondó*!"

"ei, cara", eu vou perguntar,
"você não ouviu falar dos
anos trinta?"

"os anos trinta? o que é
isso?"

meu atual editor-publisher
e eu
por vezes
de fato discutimos os anos trinta,
a Depressão
e
alguns dos pequenos truques que os trinta
nos ensinaram –
tipo como sobreviver com quase
nada
e seguir em frente
mesmo assim.

bem, John, se acontecer desfrute da sua
diversão em
desenvolver agricultura,
cultivar e arejar
entre
os arbustos, regar apenas no
início da manhã, espalhar
forração para desencorajar
o crescimento de ervas daninhas
e
como faço com a minha escrita:
usar bastante
esterco.

e obrigado
por me alojar lá na
5124 DeLongpre Avenue
em algum lugar entre
o alcoolismo e
a loucura.

juntos nós
atiramos a luva
e é possível
encontrar
quem aceite o desafio
inclusive nesta época tardia
enquanto o fogo canta
por entre as
árvores.

virada

eu soube recentemente
que a minha primeira esposa
morreu na
Índia

ela pertencia a certa
seita e morreu de uma
doença
misteriosa.

a família não
pediu
que o corpo fosse
enviado
de volta.

pobre Barbara,
ela nasceu com um
pescoço
que não
virava.

uma linda mulher
em outros aspectos.

minha querida, nas alturas do
sol, espero que o seu
pescoço
vire
afinal

e que os olhares
e o ridículo
e a indesejada
pena

encontrem abrigo
em outro lugar.

ah, eu era o terror da mulherada!

você
se pergunta sobre
quando
você corria por entre as mulheres
como um maníaco
em campo aberto
com sua total
desconsideração por
calcinhas, panos de prato,
fotos
e todos os outros
apetrechos –
como
o emaranhamento das
almas.

o que
você estava
tentando
fazer
estava tentando
ir atrás
do quê?

era como uma
caçada.

quantas você
conseguiu
ensacar?
partir
pra cima?

nomes
sapatos
vestidos
lençóis, banheiros,
quartos, cozinhas,
salas
da frente,
cafés,
animais de estimação,
nomes de animais de estimação,
nomes de crianças;
nomes do meio, sobrenomes,
nomes
inventados.

você provou que era
fácil.
você provou que
podia ser feito
sempre
de novo,
aquelas pernas erguidas
alto
por trás de quase
você todo.
ou

elas ficavam por cima
ou
você ficava
por trás
ou
ambos
de lado
além de
outras
invenções.

canções em rádios.
carros estacionados.
vozes telefônicas.
bebidas sendo
servidas.
as conversas
sem sentido.

agora você sabe
você não passava de um
maldito
cão, ou
de uma lesma enrolada
numa lesma –
conchas pegajosas na luz
do sol, ou nas
noites enevoadas,
ou no escuro
escuro.

você era
o idiota da
natureza,
não provando mas
sendo
provado.
não um homem mas um
plano
se desenrolando,
não empurrando mas
sendo
empurrado.
agora
você sabe.

naquele tempo
você se achava
um belo de um
espertalhão
um belo de um
cafajeste
um belo de um
machão
um belo de um
transgressor

sorrindo acima de seu
vinho
planejando sua próxima
jogada

que
perda de tempo
você era

seu grande
cavaleiro
seu Átila das
primaveras e
tudo mais

você poderia ter
dormido esse tempo
todo
e ninguém nunca teria
sentido sua
falta

nunca teriam
sentido sua
falta
em
absoluto.

poema de amor

lugar nenhum e meio
na torre
desmoronada
que os vermes conquistem
a glória

escuro dentro da
escuridão

a última aposta
perdida

tentando
alcançar

silêncio
ósseo.

um cachorro

veja só você, meias e calções, latas de cerveja
pelo chão, você não quer se comunicar,
para você uma mulher não é nada senão algo
para sua conveniência, você só fica ali sentado
bebendo como um porco, por que você não diz algo?

esta é a sua casa então você não pode ir embora, se eu estivesse
falando desse jeito na minha casa você sairia pela porta
sem demora.

por que você está sorrindo?
algo disso é engraçado?

tudo que você faz é beber como um porco e ir ao hipódromo!
o que há de tão sensacional num cavalo?
o que é que um cavalo tem que eu não tenho?

quatro pernas?

você não é genial?
ora, você não é o máximo?

você age como se nada importasse!
bem, deixa eu te dizer, babaca, eu importo!
você acha que é o único homem nesta cidade?

bem, deixa eu te dizer, existem homens aos montes que
me desejam, meu corpo, minha mente, meu espírito!

as pessoas me perguntam: "O que é que você está fazendo
com uma pessoa como aquela?"

o quê?
não, eu não quero um drinque!
quero que você se dê conta do que está acontecendo antes que
seja tarde demais!

veja só você entornando que nem bicho!
você sabe o que acontece quando você bebe
demais!
daria no mesmo eu estar morando com um eunuco!

minha mãe me avisou!
todo mundo me avisou!

veja só você agora!
por que você não se barbeia?
você derramou vinho na sua camisa toda!
e esse charuto barato!
você sabe qual é o cheiro que essa coisa
tem?
de bosta de cavalo!

ei, pra onde você está indo?
algum bar, algum bar de merda!
vai ficar lá sentado, acalentando a sua autopiedade
com todos aqueles outros perdedores!

se você passar por aquela porta eu vou
sair pra dançar!
vou sair para me divertir!

se você sair por aquela porta, aí é
o fim!

tá bom, vai lá então, seu babaca!

babaca!

babaca!

BABACA!

VOCÊ AINDA TÁ VIVENDO EM 1938, BABACA!

o homem forte

eu fui vê-lo, lá naquele lugar em
Echo Park
depois do meu expediente
nos correios.
ele era um enorme sujeito barbudo
e estava sentado em sua cadeira como um
Buda
e ele era o meu Buda, meu guru
meu herói, meu rugido de
luz.
às vezes ele não era gentil
mas ele era sempre bem mais do que
interessante.
sair daqueles escravos
dos correios
e entrar naquela explosão de luz
me confundia,
mas era uma confusão
extraordinária e
deliciosa.

milhares de livros sobre
centenas de assuntos
apodreciam em seu
porão.

jogar xadrez com ele era
levar uma surra risível no
tabuleiro.
desafiá-lo
física ou
mentalmente era
inútil.

mas ele tinha a habilidade de
escutar nossa
caçoada
com paciência
e também a habilidade
de resumir as
fraquezas,
as ilusões daquilo
numa única frase.

eu muitas vezes me perguntava como é que
ele aguentava as minhas
queixas; ele era gentil,
afinal de contas.

as noites duravam 7,
8 horas.
eu tinha minhas libações.
ele tinha a si mesmo
e uma linda mulher
que sorria em silêncio enquanto
nos
escutava.

ela trabalhava numa prancheta
de desenho,
projetando coisas.
nunca perguntei o que era e
ela nunca
disse.

as paredes e os tetos
eram cobertos com
centenas de dizeres esquisitos
colados –
como as últimas palavras de
um homem numa cadeira
elétrica,
ou gângsteres em seus
leitos de morte,
ou as instruções de uma velha mulher de bandido
para suas crianças;
fotos de Hitler, Al Capone,
Chefe Touro Sentado,
Lucky Luciano.
era uma interminável
colmeia de faces
e
declarações estranhas.

era sombriamente revigorante.

e em momentos raros e ocasionais
até eu ficava bom.

então o Buda assentia
com a cabeça.

ele gravava tudo em
fitas.

às vezes numa outra
noite ele tocava uma
fita desde o começo para
mim.
e aí eu me dava
conta de como
eu soava lastimável,
desprezível,
inepto.

raramente ele falhava.

por vezes eu me perguntava por que
o mundo não
o
descobrira.
ele não fazia o menor esforço para ser
descoberto.
ele recebia outros
visitantes,
sempre gente maluca,
original,
revigorante.

era mais louco do que o
sol incendiando o
mar,
eram os morcegos do inferno
rodopiando pela
sala.
era a depuração
da merda na
psique
retalhada.

noite após noite após
noite, eu
me enchia, eu voava, eu me encharcava
num deslumbramento
especial.

isso foi décadas atrás
e ele ainda está
vivo, eu
também.

ele criou um lugar quando
não havia
lugar.
um lugar para ir quando tudo
estava se fechando,
estrangulando, esmagando,
debilitando,
quando não havia
voz, não havia som,

não havia sentido,
ele emprestava calma
salvando
a graça
natural.

eu sinto que lhe devo
uma,
eu sinto que lhe devo
várias.

mas consigo ouvi-lo
agora, aquela mesma
voz
de quando ele se sentava
tão imenso
naquela mesma
cadeira:

"Não há dívida alguma,
Bukowski."

afinal você está errado
dessa vez,
John Thomas, seu
desgraçado.

o tordo azul

há um tordo azul no meu coração que
quer sair
mas eu sou duro demais com ele,
eu digo: fique aí, não vou
deixar que ninguém veja
você.

há um tordo azul no meu coração que
quer sair
mas eu despejo uísque sobre ele e inalo
fumaça de cigarro
e as putas e os bartenders
e os balconistas de mercearia
nunca sabem que
ele está
ali dentro.

há um tordo azul no meu coração que
quer sair
mas eu sou duro demais com ele,
eu digo:
fique quieto, você quer
me ferrar?
quer foder com a minha

situação?
quer detonar as minhas vendas de livros na
Europa?

há um tordo azul no meu coração que
quer sair
mas eu sou esperto demais, só o deixo sair
em algumas noites
quando todo mundo está dormindo.
eu digo: sei que você está aí,
então não fique
triste.

depois o coloco de volta,
mas ele está cantando um pouco
ali dentro, não o deixei morrer
completamente
e nós dormimos juntos
assim
com nosso
pacto secreto
e é bom o bastante para
fazer um homem
chorar, mas eu não
choro, e
você?

a costureira

minha primeira esposa fazia seus próprios vestidos,
e eu achava isso legal.
eu a via com frequência sentada diante de sua
máquina de costura
montando um novo vestido.
estávamos ambos trabalhando e eu achava
ótimo que ela encontrasse tempo
para montar seu
guarda-roupa.

então certa noite cheguei em casa e
ela estava chorando.
ela me contou que um cara no trabalho
lhe dissera que ela tinha mau
gosto em seus artigos
de vestuário,
falando que ela parecia
"cafona".

"você acha que eu me visto de um jeito cafona?",
ela perguntou.
"claro que não.
quem é esse cara?
eu vou arrebentar a cara dele!"

"você não pode, ele é homossexual."

"que droga!"

ela chorou um pouco mais naquela
noite.
tentei reconfortá-la e ela
por fim parou.

depois disso, porém, passou a comprar
seus vestidos.
eles não lhe caíam nem de longe tão bem
mas ela me contou que o sujeito
havia elogiado sua nova
elegância.

bem, contanto que ela parasse de
chorar.

então um dia ela me perguntou: "como
você gosta mais de mim, nos vestidos velhos ou
nos novos?"

"você fica bem de qualquer jeito",
eu respondi.

"não, mas o que você prefere?
os vestidos velhos ou os novos?"

"os velhos", eu lhe falei.

então ela começou a chorar de novo.

ocorreram problemas semelhantes em outros
aspectos do nosso
casamento.

quando ela se divorciou de mim, ainda estava
usando vestidos
comprados em loja.

mas levou consigo
a máquina de costura
e uma mala cheia com os velhos
vestidos.

confissões

esperando pela morte
como um gato
que vai pular na
cama

lamento muitíssimo pela
minha esposa

ela vai ver este
corpo
rijo e
branco

vai sacudi-lo uma vez, então
talvez
de novo:

"Hank!"

Hank não vai
responder

não é a minha morte que
me preocupa, é a minha esposa
deixada sozinha com este

monte
de nada.

eu quero que
ela saiba
no entanto
que todas as noites
dormindo
a seu lado
e mesmo as inúteis
discussões
foram coisas
totalmente esplêndidas

e as palavras
duras
que sempre temi
dizer
podem agora ser
ditas:

eu te
amo.

Fontes

Como em *Sobre gatos*, todos os poemas de *Sobre o amor* são reproduções fiéis dos originais submetidos por Bukowski a editores de publicações independentes; as alterações editoriais foram mínimas. Se um determinado manuscrito não pudesse ser encontrado, era usada então a apropriada versão de revista, numa tentativa de preservar a voz e o estilo de Bukowski – os poemas publicados pela Black Sparrow Press, sobretudo no caso das coletâneas póstumas, sofreram alterações drásticas. As fontes abaixo indicam qual versão está sendo usada para cada poema, bem como sua data de publicação.

"minha". *Semina* 2, dezembro de 1957; coletado em *The Days Run Away Like Wild Horses Over the Hills*, 1969.
"escala". *The Naked Ear* 9, fim de 1957; coletado em *The Roominghouse Madrigals*, 1988.
"o dia em que joguei pela janela uma grana preta". *Quicksilver* 12.2, verão de 1959; coletado em *The Roominghouse...*
"eu provo as cinzas da sua morte". *Nomad* 1, inverno de 1959; coletado em *The Days...*
"o amor é uma folha de papel rasgada em pedaços". *Coastlines* 14-15, primavera de 1960; coletado em *The Roominghouse...*
"para a puta que levou meus poemas". *Quagga* 1.3, setembro de 1960; coletado em *Queimando na água, afogando-se na chama*, 1974.
"sapatos". Fim de 1960, manuscrito; coletado em *As pessoas parecem flores finalmente*, 2007.

"algo pra valer, uma boa mulher". Início de 1961, manuscrito; coletado em *Come on In!*, 2006.

"apenas uma noite". Fim de 1961, manuscrito; coletado em *The Roominghouse...*

"a travessura da expiração". Fevereiro de 1962, manuscrito; coletado como "beauty gone" em *Open All Night*, 2000.

"o amor é uma forma de egoísmo". *Mummy*, 1962; inédito em coletânea.

"para Jane: com todo o amor que eu tinha, que não foi suficiente". 1962, manuscrito; coletado em *The Days...*

"para Jane". *The Wormwood Review* 8, dezembro de 1962; coletado em *The Days...*

"notificação". *Sciamachy* 5, 1963; coletado em *The Days...*

"meu verdadeiro amor em Atenas". *Nadada* 1, agosto de 1964; inédito em coletânea.

"mulher adormecida". *The Wormwood Review* 16, dezembro de 1964; coletado em *The Days...*

"uma festa aqui – metralhadoras, tanques, um exército lutando contra homens nos telhados". *Kauri* 10, outubro de 1965; inédito em coletânea.

"para os 18 meses de Marina Louise". 1965, manuscrito; coletado como "Marina" em *Mockingbird Wish Me Luck*, 1972.

"poema para minha filha". *Showcase* 3, julho de 1966; coletado em *As pessoas parecem...*

"resposta a um bilhete encontrado na caixa de correio". *Salted Feathers* 10, agosto de 1967; inédito em coletânea.

"todo o meu amor é dedicado a ela (para A.M.)". Fim de 1969, manuscrito, primeiramente intitulado "a garçonete"; inédito.

"resposta para certa espécie de crítica". *Stooge* 5, 1970; inédito em coletânea.

"o banho". Março de 1971, manuscrito; coletado em *Mockingbird...*

"2 cravos". 26 de abril de 1971, manuscrito; coletado em *Mockingbird...*
"você já beijou uma pantera?". Maio de 1971, manuscrito; coletado em *Mockingbird...*
"o melhor poema de amor que posso escrever no momento". 15 de junho de 1971, manuscrito; inédito em coletânea.
"metendo até as bolas". 2 de novembro de 1971, manuscrito; inédito.
"quente". *Event* 2.2, 1972; coletado em *Queimando...*
"sorrindo, brilhando, cantando". 22 de dezembro de 1972, manuscrito; coletado em *What Matters Most Is How Well You Walk Through the Fire*, 1999.
"visita a Venice". *Vagabond* 17, 1973; inédito em coletânea.
"poema de amor para Marina". *Second Coming* 2.3, 1973; inédito em coletânea.
"posso ouvir o som das vidas humanas sendo rasgadas em pedaços". c. 1973, manuscrito; coletado como "o som das vidas humanas" em *Queimando...*
"para aquelas 3". Início dos anos 1970, manuscrito; inédito em coletânea.
"lua azul, ó luuuuuaaazuuuullll te adoro tanto!". 27 de junho de 1974, manuscrito; coletado em *Play the Piano Drunk Like a Percussion Instrument until the Fingers Begin to Bleed a Bit*, 1979. Este poema faz parte de um poema maior, "extant", que continua inédito em coletânea.
"o primeiro amor". 21 de julho de 1974, manuscrito; coletado como "first love" em *Bone Palace Ballet*, 1997.
"amor". 2 de agosto de 1974, manuscrito; coletado como "sloppy love" em *What Matters...*
"inflamados de amor (para N.W.)". *Los Angeles Free Press* 530, setembro de 1974; coletado em *What Matters...*
"um poema de amor para todas as mulheres que eu conheci". 15 de setembro de 1974, manuscrito (segundo esboço); coletado como "a love poem" em *War All the Time*, 1984.

"fax". 23 de janeiro de 1975, manuscrito (segundo esboço); coletado como "a música suave" em *O amor é um cão dos diabos*, 1977, e como "it beats love" em *The Night Torn Mad with Footsteps*, 2001.
"um para o engraxate". 17 de maio de 1975, manuscrito; coletado em *O amor é um cão...*
"quem diabos é Tom Jones?". 4 de junho de 1975, manuscrito; coletado em *O amor é um cão...*
"sentado numa lancheria na beira da estrada". 22 de junho de 1975, manuscrito; coletado como "sentado numa lancheria" em *O amor é um cão...*
"uma definição". 15 de novembro de 1975, manuscrito; coletado em *The Night Torn...*
"um bilhete de aceitação". 27 de novembro de 1975, manuscrito; coletado em *O amor é um cão...* como "meu velho", e como "aceitação" em *As pessoas parecem...*
"o fim de um breve caso". 19 de janeiro de 1976, manuscrito; coletado em *O amor é um cão...*
"um para a dente-acavalado". 23 de janeiro de 1976, manuscrito; coletado em *O amor é um cão...*
"oração para uma puta sob mau tempo". 7 de fevereiro de 1976, manuscrito; coletado como "orador debaixo de mau tempo" em *O amor é um cão...*
"cometi um erro". *Scarlet*, abril de 1976; coletado em *O amor é um cão...*
"a deusa de um metro e oitenta (para S.D.)". 4 de junho de 1976, manuscrito; coletado em *O amor é um cão...*
"garotas quietas e limpas em vestidos de algodão". 15 de setembro de 1976, manuscrito; coletado em *O amor é um cão...*
"nesta noite". 23 de setembro de 1976, manuscrito; coletado em *O amor é um cão...*
"pacific telephone". 1º de novembro de 1976, manuscrito; coletado em *O amor é um cão...*
"corcunda". 20 de novembro de 1976, manuscrito; coletado em *What Matters...*

"sereia". 9 de outubro de 1977, manuscrito; coletado em *Play the Piano*...

"sim". 9 de novembro de 1977, manuscrito; coletado em *Dangling in the Tournefortia*, 1981.

"rua 2, perto de Hollister, em Santa Monica". 18 de dezembro de 1977, manuscrito; inédito em coletânea.

"a sova do consolo". 30 de junho de 1978, manuscrito; inédito em coletânea.

"um lugar pra relaxar". 21 de maio de 1979, manuscrito; coletado em *What Matters*...

"morde morde". 28 de junho de 1979, manuscrito; coletado em *Dangling*...

"para a pequena". 19 de julho de 1980, manuscrito; coletado em *Dangling*...

"alô, Barbara". 2 de janeiro de 1981, manuscrito; coletado em *Dangling*... Um esboço anterior e mais curto deste poema, "upon phoning an x-wife not seen for 20 years", datado de 19 de outubro de 1977, apareceu em *Open All Night*.

"Carson McCullers". 24 de outubro de 1981, manuscrito; coletado em *The Night Torn*...

"Jane e Droll". 13 de dezembro de 1981, manuscrito; coletado como "Jane and Prince" em *Open All Night*.

"a gente se dá bem". 11 de junho de 1982, manuscrito; coletado em *Open All Night*.

"até que foi bom". 22 de junho de 1982, manuscrito; inédito.

"minhas paredes do amor". 20 de fevereiro de 1983, manuscrito; inédito.

"eulogia para uma dama e tanto". 12 de junho de 1983, manuscrito; coletado em *War All the Time*.

"amor". 7 de janeiro de 1984, manuscrito; coletado como "endless love" em *Come On In!*

"eulogia". 24 de janeiro de 1984, manuscrito; coletado em *The Night Torn...*

"40 anos atrás naquele quarto de hotel". Fevereiro de 1984, manuscrito; coletado em *The Night Torn...*

"um mágico desaparecido". 8 de outubro de 1984, manuscrito (segundo esboço); coletado em *You Get So Alone at Times That It Just Makes Sense*, 1986.

"nenhuma sorte nisso". 21 de janeiro de 1985, manuscrito; coletado como "no help for that" em *You Get So Alone...*

"poema de amor para uma stripper". Fevereiro de 1985, manuscrito; coletado em *You Get So Alone...*

"amor esmagado como mosca morta". Outubro de 1985, manuscrito; coletado como "love dead like a crushed fly" em *The Night Torn...*

"sapatos". Fim de 1985, manuscrito; coletado em *You Get So Alone...*

"cortina baixada". Outubro de 1986, manuscrito; coletado em *The Last Night of the Earth Poems*, 1992.

"Trólios e treliças". *Long Shot* 7, 1988; coletado em *The Last Night...*

"virada". c. 1989, manuscrito; inédito.

"ah, eu era o terror da mulherada!". c. 1989, manuscrito; coletado em *The Last Night...*

"poema de amor". 7 de janeiro de 1990, manuscrito; coletado como "cancer" em *Come On In!*

"um cachorro". *Gas* 2, 1991; coletado como "this dog" em *Sifting Through the Madness for the Word, the Line, the Way*, 2003.

"o homem forte". 29 de março de 1991, manuscrito; coletado em *Betting on the Muse*, 1996.

"o tordo azul". *the bluebird*, cartaz impresso, setembro de 1991; coletado em *The Last Night...*

"a costureira". *Whoreson Dog* 1, 1993; coletado em *Sifting...*

"confissões". *Red Cedar Review* 4, 1993; coletado como "confession" em *The Last Night...*

Agradecimentos

Organizador e editora gostariam de agradecer aos proprietários do material aqui publicado, entre os quais se incluem as seguintes instituições:

Universidade do Arizona, Centro de Acervos Especiais
Universidade da Califórnia, Santa Barbara, Acervos Especiais
Biblioteca de Huntington, San Marino, Califórnia
Universidade Estadual de Nova York em Buffalo, Acervo de Poesia/Livros Raros
Universidade do Sul da Califórnia, USC Libraries, Acervos Especiais
Universidade de Temple, Acervos Especiais

Agradecemos também aos seguintes periódicos, nos quais alguns dos poemas foram publicados pela primeira vez: *Coastlines, Event, Gas, Kauri, Long Shot, Los Angeles Free Press, Mummy, Nadada, The Naked Ear, Nomad, Quagga, Quicksilver, Red Cedar Review, Salted Feathers, Sciamachy, Second Coming, Semina, Showcase, Stooge, Vagabond, Whoreson Dog* e *Wormwood Review*.

IMPRESSÃO:

Santa Maria - RS - Fone/Fax: (55) 3220.4500
www.pallotti.com.br